GUÍA

DEL

JOVEN ROBINSÓN

EDELVIVES

Dirección: María Alarcón
Coordinación: Ana Maestre
Traducción: Susana Vázquez

© Éditions Nathan, Paris, 1996
© Editorial Luis Vives, 1997
ISBN 84-263-3605-1
D.L. 855-97
Talleres gráficos: Edelvives
Teléf. 976 34 41 00 - Fax 976 34 59 71
Impreso en España - *Printed in Spain*

GUÍA

DEL

JOVEN ROBINSÓN

en el campo

Sylvie Bézuel

Ilustraciones
Patrizia Donaera, Nathalie Locoste
Regis Macioszczyk, Jean-Claude Sénée

SUMARIO

El campo

Campos de cultivo
hasta donde alcanza la
vista, prados floridos,
pantanoso o terrenos
pedregosos, pastos con
hierbajos, matorrales o
espesuras... el campo
tiene caras muy distintas
y una diversidad
enorme de flora y
fauna.

*P*or definición, el campo es una vasta superficie llana y descubierta. La palabra campo viene del latín «campus», que significa «terreno, campo abierto».

Todo eran bosques

En otro tiempo, la mayor parte de Europa, a excepción de las cimas montañosas y de las regiones litorales, estaba cubierta de bosques. El campo, tal como hoy lo conocemos, con sus inmensas explotaciones de cultivo, no existía.

En la Edad Media

A comienzos de la Edad Media, los campos de cultivo empiezan a cubrir nuestros paisajes. Bajo el dominio de los señores feudales, se talan bosques, se desecan zonas pantanosas y se roturan las landas. La tierra se cultiva y los pastos se incrementan.

La revolución industrial...

Hasta el siglo XIX, las técnicas agrícolas empleadas respetaban la naturaleza. Con la revolución industrial, los animales de tiro son progresivamente sustituidos por máquinas, se arrancan los setos que bordeaban los campos y se utilizan cada vez más los pesticidas y los fertilizantes.

...y el deterioro medioambiental

Con estos métodos se consiguió aumentar enormemente la producción agrícola, pero las consecuencias para la fauna, la flora y el suelo fueron desastrosas. Algunas plantas desaparecieron, los animales tuvieron que marcharse porque ya no encontraban comida, y las lluvias fueron erosionando el suelo, porque no había vegetación que lo retuviera. Para que el campo recobre su esplendor perdido, es necesario limitar la contaminación, replantar los bordes de los campos de cultivo y dejar parte de las tierras de cultivo en barbecho.

Si no podemos cambiar el tiempo, al menos podemos prever si hará bueno o malo. La naturaleza nos da algunas pistas para ello. Aprende a identificarlas o escucha las previsiones antes de salir, así te evitarás disgustos...

Algunas pistas de la naturaleza

• *Buen tiempo: la noche anterior, el cielo está muy estrellado, aumenta la presión atmosférica y las golondrinas vuelan alto.*

• *Riesgo de lluvia: hay muchas más hormigas aladas, se cierran las escamas de las piñas y salen los caracoles.*

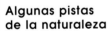

Reconoce las nubes

La forma, el tamaño y el color de las nubes te indican el tiempo que hará.

① **Cúmulos:** nubes blancas, planas por debajo y redondeadas por arriba; cambian rápidamente de forma. Son señal de buen tiempo.

② **Estratocúmulos:** con forma de cojines finos y regulares, suelen cubrir a los cúmulos, formando capas espesas y produciendo pequeños chubascos.

③ **Cumulonimbos:** densos y oscuros, traen lluvias o anuncian tormentas.

④ **Cirros:** blancos, deshilachados y ligeros, situados a gran altitud. Si se acumulan, la lluvia no tardará mucho en llegar.

⑤ **Estratos:** nubes bajas que dan al paisaje un aspecto cubierto.

La veleta

Con ella se puede saber de dónde viene el viento. Haz una con dos tablas, dos bolas de madera, un listón de caras lisas y un palito fino. Comprueba que la flecha pueda girar bien y que los cuatro puntos cardinales estén bien orientados. ▼

El anemómetro

◄ La fuerza del viento le hace girar con mayor o menor fuerza. Fabrica uno con: cuatro vasos de plástico, la parte superior de una botella de plástico, dos palitos, una aguja de punto, una botella de cristal y un tapón de corcho.

Un indicador de viento

Es una manga que sirve para indicar la procedencia y la intensidad del viento. Corta un trozo de tela fina, tal como te indicamos. Cose un dobladillo en el extremo más estrecho. Haz un círculo con alambre y colócalo en el otro extremo. Cóselo cuando hayas puesto dos anillas como éstas. En el palo de una escoba, sujeta una varilla metálica y pasa por dentro las dos anillas.

El pluviómetro

Mide la cantidad ▲ de lluvia que cae en un día. Recorta la parte superior de una botella de plástico. Ponla del revés dentro de la parte inferior de la botella. 1 cm de agua en el pluviómetro = 10 l de agua por m² diario.

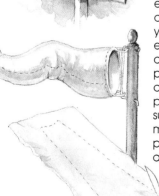

Nada mejor para levantar el ánimo que un buen paseo por el campo. Pero para hacer una marcha, aunque no dure más que un día, hay que ir debidamente equipado. Resulta inútil ir muy cargado; llévate sólo lo esencial.

Vístete bien

Elige ropa cómoda que no sea demasiado llamativa. Los tonos de camuflaje (beis, marrón, verde) son los más adecuados para observar a los animales.

Para protegerte del sol necesitarás: un gorro, gafas de sol y crema solar. Sea cual sea la estación del año, llévate un impermeable o un chubasquero que no ocupe mucho espacio; te resultará muy práctico en caso de chaparrón.

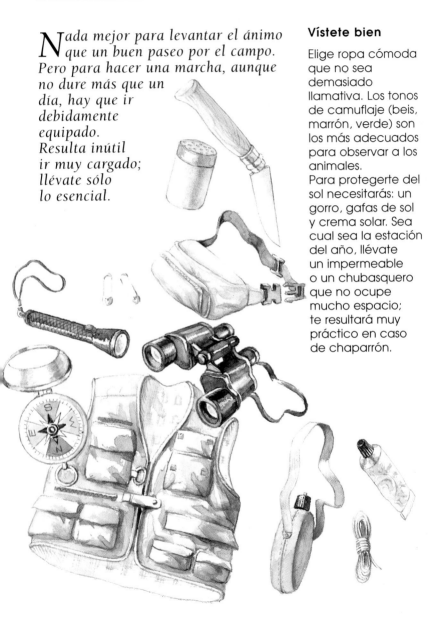

El calzado

Llevar buen calzado siempre es importante. Si tienes que andar por la hierba húmeda, ponte unas botas de goma; si no, es mejor que calces zapatillas de deporte.

Un consejo: ponte unos calcetines finos y no lleves nunca zapatos nuevos o muy apretados. ¡Cuidado con las ampollas!

Para escuchar la naturaleza...

Si llevas un magnetófono, podrás grabar el canto de los pájaros, el croar de las ranas o el chirrido de las cigarras.

El equipo de Robinsón

Necesitarás una cantimplora o un termo para combatir la sed, y algún tentempié para cuando sientas hambre.

Para no perder el norte, una brújula. Para tus observaciones, unos gemelos y una lupa. Para «inmortalizar» tus hallazgos, una máquina de fotos, un cuaderno de notas, unos lápices de colores y una goma. Unas bolsas y unos frascos te resultarán útiles para recoger tus «tesoros».

Tu botiquín de primeros auxilios

Esparadrapo, algodón, gasas estériles, antiséptico (mercurocromo o agua oxigenada), pomada contra el picor, crema antimosquitos, unas tijeras, pinzas de depilar e imperdibles.

Los campos de cultivo

En las llanuras,
las tierras de labor
cubren kilómetros
y kilómetros.
Mosaicos de verdes,
amarillos, ocres
o marrones, los
cultivos se extienden
hasta donde alcanza
la vista, cambiando
de color al ritmo
de las estaciones.

Hay cultivos y cultivos. Los cultivos de forraje se destinan a la alimentación de los animales domésticos, pero también a la de las personas. Además hay plantas que se cultivan con fines industriales. En suma, existen cultivos para todos los gustos... y de todos los colores.

o deshidratadas, estas plantas constituyen la alimentación básica del ganado y de los animales de corral.

Verde como el arroz

Existen distintos cereales destinados a la alimentación del hombre. Las costumbres alimenticias varían de un continente a otro.

Los europeos consumen trigo en forma de pan o de pasta. Los asiáticos se alimentan de arroz. En Latinoamérica se prefiere el maíz. Y en África, el mijo y el sorgo están en todos los menús.

Rosa como el trébol

En Europa, la mayor parte de las tierras cultivadas se dedica a plantas forrajeras: leguminosas (guisantes, trébol, alfalfa, soja...) y gramíneas o cereales (maíz, cebada, arroz...). Transformadas en gránulos, en harina

Azul
como el lino

Algunas plantas se cultivan con fines industriales. El maíz, la patata o el trigo proporcionan el almidón que se utiliza como modificador de la textura en numerosos productos de consumo habitual.

Amarillo
como el girasol

Las flores del girasol y de la colza transforman el campo en fabulosas alfombras doradas. De las semillas de estas plantas se obtiene aceite, que sirve para cocinar.

Un *patchwork*
de semillas

Para colocarlas, lo ideal es una caja con departamentos iguales. También te servirán unas cuantas cajas de cerillas pegadas. Llénalas con todo tipo de semillas: granos de trigo, arroz, lentejas, judías, pimienta, etcétera. Juega con las formas y los colores.

El lino se destina a la industria textil. Sirve para confeccionar trajes de calidad, ropa de cama y de mesa... El cáñamo, que antes se utilizaba para fabricar cuerdas y velas de barco, actualmente se utiliza en la industria papelera.

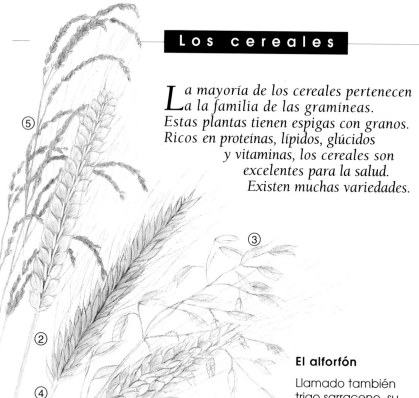

La mayoría de los cereales pertenecen a la familia de las gramíneas. Estas plantas tienen espigas con granos. Ricos en proteínas, lípidos, glúcidos y vitaminas, los cereales son excelentes para la salud. Existen muchas variedades.

El alforfón

Llamado también trigo sarraceno, su grano se aprovecha como pienso. Con la harina que de él se obtiene se hacen galletas y pan negro.

② Cebada

Esta gramínea se utiliza principalmente para la alimentación de animales domésticos y para la fabricación de cerveza. La variedad más precoz y más productiva, sembrada en otoño, se denomina cebada temprana o alcacer.

① El trigo

Este cereal se utiliza para hacer pan, pero también para las pastas y sémolas. Existen varios tipos de trigo: de invierno y tremés, duro, cañihueco, candeal...

③ La avena

La avena caballuna se utiliza como pienso. Pero la avena también sirve de alimento para el hombre: se toma en copos en el desayuno. En algunas zonas se prepara con ella una bebida refrescante, el avenate.

④ El centeno

Muy resistente al frío, el centeno se cultiva sobre todo en la montaña y en los países nórdicos. Su harina es morena, ideal para hacer pan de especias.

⑤ El arroz

El arroz alimenta al cuarenta por ciento de la población mundial. Hay arroz moreno, también llamado arroz salvaje; arroz blanco; y arroz vaporizado, que siempre queda suelto al cocinarlo.

▲ El maíz

Esta planta de espigas doradas puede medir hasta dos metros de altura. Algunas variedades alcanzan los cuatro metros. Se utiliza como pienso para los animales. La sémola de maíz sirve para preparar platos típicos: la polenta italiana y las tortillas mejicanas.

⑥ El sorgo

Originario de los países tropicales, es una de las comidas favoritas de las aves de corral. El sorgo también se emplea para hacer cerveza, alcuzcuz y escobas para barrer.

⑥

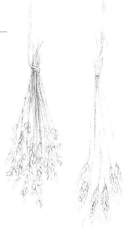

Haz un ramo de cereales

Aprovecha un día soleado para recoger tallos de trigo, de cebada, de avena... Corta unos cuantos, pero que sean jóvenes: así durarán más. ¡Cuidado!, no estropees el sembrado. No hace falta que pises los tallos para coger tu ramo. Elige los que se encuentran en los extremos. Para secar las espigas, ponlas boca abajo en un lugar seco y átalas con una cinta de nailon de unas medias viejas (reajusta la cinta a medida que el ramo se vaya secando.)

La siega

El verano no es precisamente la época de vacaciones de los agricultores. En julio y en agosto, las mieses están maduras y sus espigas muy doradas: es la época de la siega.

La siega tradicional...

Antiguamente, todos los habitantes del pueblo participaban en la siega, y además venían temporeros desde otras regiones lejanas para prestar sus servicios. ¡Cortar la mies con la guadaña o con la hoz no era tarea fácil. Después aparecieron las primeras máquinas segadoras, de las que tiraban los bueyes o los caballos y más tarde, los tractores. Una vez segadas las mieses, había que colocarlas en ramilletes, denominados gavillas o haces. Luego, había que trillarlos para separar el grano de la paja. La trilla era un trabajo agotador que duraba varias semanas. En algunas zonas, la siega aún se sigue haciendo así, pero cada vez es menos frecuente.

... y la mecanizada

La cosechadora-trilladora es una máquina enorme que siega y desgrana el cereal. Guarda el grano en su «tripa» y expulsa la paja triturada o... incluso ya en paquetes. Puede recolectar hasta quince toneladas de cereales por hora.

trenza la paja

Haz un cesto de paja

Cuando tiene la «tripa» llena, la segadora-trilladora echa el grano en un remolque. Sólo queda transportarlo y dejarlo en unos depósitos enormes, los silos, resguardado de la lluvia y de los roedores.

Coge varias pajas largas. Entrecrúzalas de dos en dos, apretando bien fuerte, tal como ves en el dibujo. Cuando termines el entrecruzado, enhebra un hilo de rafia en una aguja grande y haz un nudo en un extremo. Enrolla la paja sobre sí misma y ve cosiéndola simultáneamente, de forma que cada vuelta quede sujeta a la anterior. Dale una forma redonda a tu cesto, y termina cuando la altura te parezca apropiada.

*L*os cultivos suponen para nuestras amigas voladoras una verdadera despensa de granos y gusanillos. Sin embargo, si algunas especies se dan auténticos festines, otras sufren en sus carnes la modernización de la agricultura (pesticidas, herbicidas, uso de máquinas...).

El faisán

En primavera, el faisán, una de las piezas favoritas de los cazadores, se alimenta con los brotes de gramíneas.

La alondra común

Le gustan las semillas y los hierbajos. En la época fría, cuando no encuentra suficiente comida, se dirige hacia los cultivos.

El estornino

Cuando los insectos escasean, se sirve de los campos de cereales, para desgracia de los agricultores...

El grajo

Con el buen tiempo, el grajo come insectos. Cuando llega el invierno, invade los campos de maíz en busca de los granos dispersos por el suelo.

La gaviota reidora

Va detrás de los tractores, porque hace tiempo que aprendió que el arado saca a la superficie muchas larvas, gusanos y otros manjares que echarse al estómago.

Un espantapájaros

Clava un listón
de madera en una
escoba, a unos
30 cm de la paja,
para formar una
cruz. Pinta
unos ojos, una boca
y una nariz
en la paja. Viste
al espantapájaros:
métele por los
«brazos» un abrigo
viejo. Rellénalo todo
de paja y abróchale
los botones.
Para terminar,
ponle un sombrero
en la «cabeza».

La codorniz

Como le gusta
hacer su nido
en el suelo, suele
ser víctima
de las máquinas
cosechadoras.

Salvar a los aguiluchos

Estas rapaces a
veces anidan en los
campos cultivados.
Sus indefensos
polluelos, que aún
no saben volar,
suelen acabar
aplastados por
las cosechadoras
trilladoras. Para
evitarlo, algunas
asociaciones
protectoras de
animales organizan
operaciones de
salvamento.
Recogen los nidos
en cestos grandes
y, cuando termina
la recolección,
los vuelven a
colocar en su sitio.
Intenta participar
en alguna de estas
operaciones o en
otras campañas
poniéndote en
contacto con las
organizaciones de
tu comunidad.

Los pequeños mamíferos

En los campos hay muchos mamíferos pequeños. Si algunas especies, como el campañol, son especialmente dañinas para los cultivos, otras, como la comadreja, son grandes aliadas de los agricultores.

El campañol

A este roedor le encantan los brotes tiernos de cereales.

Es muy previsor: guarda comida para la época fría. En otoño, cuando ya se han recogido los cereales, podrás verlo correr a toda prisa por los bordes de los campos de cultivo.

El conejo de monte

Fácilmente reconocible por su cola blanca y su cuerpo rechoncho, vive en colonias. Es poco aventurero y jamás se aleja demasiado de su madriguera. Se le puede ver sobre todo al amanecer o al anochecer.

La liebre

Más grande que el conejo, la liebre tiene las orejas más largas. A esta solitaria le gustan los espacios abiertos. Es muy activa al comienzo y al final de la noche, y el resto del día lo pasa en su madriguera.

La rata de las mieses

Este minúsculo roedor vive en los campos de cereales. Trepa por los tallos de las gramíneas para comerse los granos maduros. Si descubres un nido del tamaño de una pelota de tenis suspendido a unos 50 cm del suelo, quizá pertenezca a una de estas pequeñas acróbatas.

La comadreja

Este pequeño carnívoro de cuerpo alargado recorre los campos de día y de noche en busca de sus manjares favoritos: campañoles y ratones campestres.

A veces come también conejos pequeños.
No resulta fácil ver a las comadrejas, pues son rápidas como un rayo.

¿Quién ha pasado por ahí?

Si descubres varias entradas a madrigueras cercanas, con unos montoncitos de excrementos redondos delante y pequeños hoyos alrededor, no hay duda, has encontrado una madriguera de conejos de monte.
La corteza arrancada y roída al pie de los árboles, indica la presencia de campañoles.
Los excrementos de comadreja son retorcidos y están llenos de pelos.

*A*zules, blancas, rojas, moradas, amarillas... En primavera, las flores silvestres llenan los campos. Las hay de todos los colores y para todos los gustos. Con ellas se pueden hacer unos ramilletes preciosos. Pero no cortes demasiadas. Estas flores se marchitan enseguida y, además, son tan bonitas en su entorno natural...

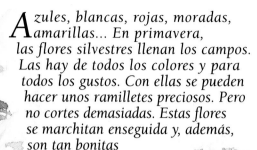

◀ La amapola

Imposible confundirla. De color rojo intenso, en forma de copela, con una mancha negra en el centro, se le reconoce de lejos. También llamada «hija de los campos», florece de mayo a septiembre.

La manzanilla ▲

Florece de mayo a agosto y es similar a una margarita, pero mucho más pequeña. También se denomina camomila. Crece en ramilletes en los campos y en los bordes de los caminos. Sus flores se utilizan para preparar infusiones.

◀ La mostaza silvestre

Con sus granos se prepara la mostaza. Los ramilletes de flores amarillas de la mostaza silvestre florecen en los campos de abril a octubre.

El espejo de Venus ➤

De la familia de las campanillas, esta flor sólo abre su corola azul púrpura en junio y en julio, cuando el tiempo es caluroso y soleado.

▼ El aciano

También llamada azulejo, esta planta florece entre las mieses, sobre todo de trigo, de mayo a julio. Desgraciadamente, dado el uso de productos químicos en los campos, cada vez es más raro verla.

La hierba ▲ del cuerno

Esta flor silvestre, que gusta de los suelos calcáreos, florece en mayo y en junio. Sus florecillas blancas pueden estar a 1,20 m de altura.

Haz tu propio herbario

Pon las flores recién cortadas entre dos hojas de papel secante. Coloca encima un libro grueso para que las prense. Transcurridas dos semanas, levanta con mucho cuidado el papel secante, retira las flores secas y colócalas en un cuaderno de dibujo, echando una gota de pegamento en el tallo. No olvides escribir el nombre de la flor, la fecha y el lugar donde la recogiste. También puedes hacer cuadros de flores. Te damos un truco: cuando acabes el cuadro, rocíalas con laca para el pelo, así quedarán mejor fijados la corola y los pétalos.

Setos y bosquecillos

Creados completamente por el hombre, forman parte de un paisaje donde se aúnan naturaleza salvaje y mundo agrícola. En los setos y bosquecillos hay muchas plantas que albergan y protegen a numerosas especies animales, tanto pequeños como grandes.

● ● ●

*S*ímbolo de armonía entre el hombre y la naturaleza, el boscaje ha sido modelado y remodelado con el paso de los siglos. Su supervivencia se ha visto amenazada con el desarrollo de la agricultura. Hoy día, dado el creciente interés por el cuidado del entorno, el boscaje puede entrar de nuevo en una época de esplendor...

Boscajes de ayer...

Desde la Edad Media, los hombres se han dedicado a plantar setos y árboles para delimitar sus tierras. Estas barreras naturales servían de límite para el ganado y proporcionaban a sus habitantes madera para calentarse. Los setos eran fuente de frutas, bayas y plantas medicinales.

... y boscajes de hoy

Con la modernización de la agricultura y el reagrupamiento de tierras, se fueron arrancando los setos, porque impedían el paso a la maquinaria agrícola. Desde hace algunos años, los agricultores se han dado cuenta de que los setos tenían un importante cometido. De ahí que en muchas regiones se estén replantando.

Setos muy útiles

Dan cobijo a numerosos animales:
aves, que se alimentan de insectos
dañinos para los cultivos,
y pequeños carnívoros, como
la comadreja, que se come
a los roedores. Los setos favorecen
el desagüe de las lluvias y protegen
los cultivos del viento. Su follaje resguarda
al ganado y las hojas caídas proporcionan
un abono natural.

Construye un periscopio

Necesitarás dos
espejos pequeños
y una cartulina.
Corta la cartulina
según se indica
en la ilustración.
Dóblala de manera
que formes un
prisma rectangular
con los extremos
inclinados unos 45°.
Haz un agujero
en la parte inferior
de una cara y otro
en la superior de su
opuesta frente a los
extremos inclinados.
Pega los espejos
en esas caras
inclinadas. Al mirar
por el agujero
inferior, verás lo que
pasa al otro lado
del seto...

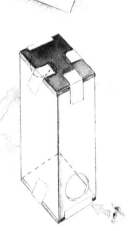

Profesor Lumbreras

*Saber la edad de un
seto es fácil. Cuenta
el número de árboles
distintos que hay en
un espacio de 30 m.
Si encuentras tres
especies, el seto
tendrá unos 300 años;
si hay cinco, unos
500. En efecto, según
los especialistas,
los setos suelen
contar con una nueva
especie de árbol
o arbusto
cada cien años.*

Las bayas

En los setos suele haber muchos arbustos. Sus pequeñas bayas, negras o rojas, son muy apetecibles. A más de uno le encantan. Pero, ¡cuidado!, no todas son comestibles.

Las que se pueden comer...

Éstas son algunas bayas que puedes comer sin riesgo. Tómalas como más te gusten: frescas, en mermelada, en tartas, en sorbetes o en batido.

◄ La endrina

¡Cuidado con los pinchos del endrino! Su fruto negro azulado tiene un sabor áspero y agrio, por eso también se llama amargaleja.

El saúco ▼

Este arbusto da un fruto negro que en España se utiliza para hacer un zumo con miel y también mermelada, pero no conviene comerlo fresco.

La mora ▼

Cuando vayas por moras, ten cuidado con las espinas y coge sólo las que estén bien negras; si no, te sabrán ácidas.

La cereza silvestre

Es una cereza pequeña con un color que va del rojo al negro. También se denomina albaruco, y a los pájaros les encanta.

... y las venenosas

Aquí tienes algunas bayas que nunca debes recoger, porque son tóxicas y a veces mortíferas.

El aliso negro, o bonetero ▲

Sus frutos, recuerdan a los bonetes antiguos. Toda la planta es venenosa. Con las semillas molidas se hacía un veneno muy eficaz, por eso en Álava se la llama «matapiojos».

La brionia, o carbasina ▲

Esta planta trepadora da unas bayas pequeñas y rojas como las grosellas. Es muy venenosa, por eso en la zona de Zamora la llaman «reventalbuey».

La belladona ▲

Sus bayas negras, del tamaño de una cereza, provocan graves problemas digestivos, respiratorios e incluso cardíacos.

El cornejo, o sanguino ►

Este arbusto da unos racimos de bayas negras con pulpa verde. Si las comes, sufrirás un cólico muy doloroso.

Mermelada de endrinas

Lava las bayas y ponlas en una olla. Déjalas cocer con un poco de agua hasta que estén muy blandas. Fíltralo todo por un colador aplastando bien las endrinas con una espumadera. Añade azúcar cristalizada (350 g por cada 1/2 l de zumo) hasta que espese. Deja cocer a fuego lento durante unos 30 min. Quita la espuma y mételo en frascos.

▲ El petirrojo

¡Vaya carácter el del petirrojo macho! Para defender su territorio, canta a grito pelado y enseña su pecho rojo a los intrusos. ¡Ya puede tener cuidado el que se atreva a acercarse!

*L*os setos son auténticas despensas para los pájaros. En ellos encuentran su menú: bayas y frutos silvestres de todo tipo, pero también gusanos, babosas, insectos... ¡Igual que si eligieran a la carta en un restaurante!

El ruiseñor ▲

En la época de apareamiento, canta día y noche. Pero hay que ser muy astuto para poder verlo.

El jilguero ►

Se posa mucho en los cardos, porque le encantan sus semillas.

El alcaudón

En algunas regiones también se le llama «pájaro descorchador», porque clava sus presas en las espinas de las plantas.
◄

▲ El herrerillo

Este acróbata de nacimiento hace su nido en el agujero de un árbol, donde cría hasta diez polluelos.

◄ La curruca capirotada

Es, junto con el ruiseñor, uno de los pájaros que mejor cantan. Su canto aflautado llega muy lejos.

El mirlo ► común

Elige las ramas más altas de los setos para dar su serenata. Allí construye su nido y se alimenta de bayas.

Construye un nidal tipo buzón de correos

Es el modelo más común para pájaros.
Material necesario: una tabla de 130 cm de largo por 16 de ancho y 2 de grosor, clavos y una bisagra.

① Corta los trozos (con las medidas que se indican en la ilustración).
② Ensambla y clava los laterales, la parte trasera y después la parte delantera, donde previamente habrás hecho un orificio de salida de 3 a 4 cm de diámetro si es para herrerillos, o de 4,5 a 5,5 cm, si es para torcecuellos o trepadores.
③ Por último, coloca el tejado, sujetándolo con una bisagra de metal o claveteando una cinta de goma.
④ Pon tu nidal lejos de los gatos y bien resguardado, en un sitio que no esté ni a pleno sol ni demasiado sombrío.

15 — fondo
25 — parte trasera
20 — parte delantera
25 — tejado
25 — laterales
20

¿La orientación ideal? Con la entrada mirando al este o al sureste.

Colecciona plumas

Cuando pasees, seguro que encuentras plumas muy bonitas. Para conservarlas bien, guárdalas en bolsas de plástico o en una caja y ponles un poco de talco o una bola antipolillas.

*D*esde los coleópteros «halterófilos» hasta las mariposas con los nombres más poéticos, pasando por los «chupasangre» o por los que pican, miles de insectos han colonizado el boscaje.

Las mariposas

Adonis, Argos azul celeste o azul nacarado, *Aurora, Cerastides, Esfinge...* En el aire caluroso del verano, mariposas de todos los colores revolotean con gracia entre las flores que liban.

abejón

abeja

Los que pican

Avispas, abejas, abejones, abejorros... Todos estos insectos sólo pican cuando se sienten amenazados. Su picadura a veces es dolorosa. Por eso, más vale no molestarlos.

Los «halterófilos»

En la gran familia de los coleópteros hay verdaderos forzudos. El escarabajo pelotero es capaz de hacer rodar una bola del tamaño de una manzana. El enterrador puede mover el cuerpo de un ratón. ¡Y eso que estos dos insectos apenas miden más de 2 cm!

tábano

Los «chupasangre»

Las hembras de los tábanos son auténticas vampiresas. Estas moscas grandes hostigan continuamente al ganado y atacan al hombre. Su picadura es muy dolorosa, mucho peor que la del mosquito.

Consejo de Robinsón

Si nada más picarte un mosquito, un tábano o una avispa, te echas una gota de vinagre o te frotas con una rodaja de cebolla, enseguida te aliviarán.

ciervo volante

③

④

De oruga a mariposa

La hembra de la mariposa pone decenas de huevos minúsculos ①, normalmente bajo las hojas. Al cabo de unos días, de cada huevo sale una oruga ② que se alimenta de las hojas y crece rápidamente. Un día, la oruga fabrica un capullo que se transforma después en crisálida ③. Cuando termina la metamorfosis, la crisálida se rompe y sale una mariposa ④. Por fin libre, despliega sus alas y las pone a secar antes de salir volando ⑤.

Observa el nacimiento de una mariposa

Coge una oruga poniéndole una hoja de papel para que se suba. Colócala en una caja o en un bote cubierto con un trozo de tul o de visillo. Dale grandes cantidades de hojas provenientes únicamente de la planta donde vivía. Después deja libre a la mariposa.

Los árboles

Olmo, fresno, cerezo silvestre, falsa acacia... Son algunos de los árboles que crecen en los setos. Muestran orgullosos sus copas por encima de los arbustos de frutos carnosos, como los endrinos, los saúcos, los cornejos y los majuelos.

fresno

Las hojas

Sus diferentes formas sirven para identificar a los árboles.

Profesor Lumbreras

Para calcular la altura de un árbol, necesitas un palo de 1,5 m, una cinta métrica y... el Sol. Pon el palo en vertical y mide su sombra y la del árbol. Después haz una regla de tres: divide la sombra del árbol entre la del palo y multiplica el número que obtengas por la altura real del palo.

roble

olmo

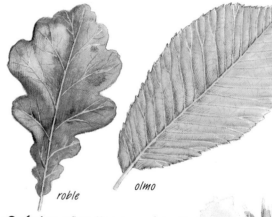

¿Cuántos años tiene un árbol?

En nuestra zona templada, se estima que el diámetro de los troncos de las resinosas (pino, abeto) aumenta unos 2 cm al año, y el de las frondosas (roble, carpe), 1 cm. Para saber la edad de un árbol, mide el contorno de su tronco a la altura de tu hombro; después divide este número entre 2 si se trata de una resinosa, o entre 0,6 si es una frondosa. Así pues, una resinosa de 120 cm de circunferencia tendrá 60 años, y una frondosa con el mismo tronco, 200 años.

Árboles en traje de invierno y de verano.

Construye una cabaña

Busca por el suelo siete ramas grandes, de 1,50 m de largo aproximadamente, y otras diez más pequeñas. Ata las grandes de dos en dos y apóyalas en la que sobra, que cruzarás horizontalmente sobre la horcadura de un árbol (mira bien el dibujo). Coloca las ramas pequeñas atravesadas. Átalas con una cuerda. Por último, cubre todo con hojas.

Prados y pastos

En las tierras verdes de
los pastos o en los
prados cubiertos
de flores rosas, amarillas
o blancas, terneros,
vacas, corderos,
cabras, toros, caballos,
burros..., todos se
deleitan comiendo
hierba tierna.

● ● ●

Prados y pastos

L os prados floridos y los pastos de hierbajos son la viva imagen del campo. Detrás de esta naturaleza, aparentemente salvaje, se esconde el trabajo del hombre... porque hasta la hierba se puede cultivar.

Prados...

El prado es una superficie húmeda donde se siembra o se deja crecer la hierba para pasto del ganado. Los ganaderos siembran plantas forrajeras que después siegan y guardan en el granero.
A los animales no se les suele dejar que coman directamente en estos prados cultivados, denominados también prados forrajeros.

... y pastos

El pasto es el lugar donde se lleva al ganado a pacer hierba. Mientras que los caballos y los corderos comen la hierba con los dientes, los bóvidos la arrancan ayudándose con la lengua.

Profesor Lumbreras

Quizá hayas visto que en los pastos hay unos islotes donde la hierba es más alta. Es hierba que el ganado no se comió al empezar a crecer y que ahora le resulta incomestible. Porque, al igual que tú, los herbívoros domésticos tienen sus preferencias en cuanto a alimentación se refiere. Hay unas plantas que les gustan y otras que no.

① alfalfa, ② cola de zorra, ③ botón de oro, ④ agrimonia, ⑤ llantén, ⑥ branca ursina, ⑦ margarita, ⑧ trébol, ⑨ achicoria amarga o diente de león

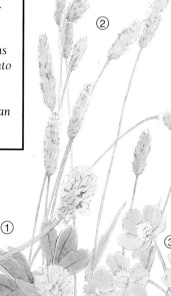

Un Salpicado de colores

Cuando pasees por los prados, descubrirás muchas especies de plantas distintas. Entremezcladas forman un verdadero salpicado de colores en el que, dependiendo del lugar y de la época del año, predominará el amarillo, el blanco, el rojo o el azul.

¿Paja o heno?

No confundas la paja con el heno. La paja es el tallo de los cereales, lo que queda después de quitarle el grano. Sirve principalmente de lecho para los animales... y a veces también se comen un poco.

El heno es la hierba de los prados: segada y seca, sirve para alimentar al ganado en invierno.

Terneros, vacas, toros, bueyes... Son los bovinos de nuestros campos. Actualmente existen unas veinte razas distintas. Unas son apreciadas por su leche; otras, por su carne.

Vacas de todos los colores

Hay vacas negras y blancas, marrones y blancas, castañas, rojas caoba, beis, grises azuladas... Cada región tiene su raza. Lo más normal es que la raza lleve el nombre de su lugar de origen: bretona, normanda, tarantesa, gascona, rubia de Aquitania, montebeliarda, vosguiana...

¿Buey o toro?

Los dos son machos. ¿En qué se diferencian? El buey está castrado, es decir, le han quitado los órganos genitales. Así engorda mucho más deprisa y acaba hecho filetes. El toro, sin embargo, se cría para la reproducción o bien se dedica a la fiesta taurina.

normanda

bretona de pie negro

montebeliarda

Charolada

¿Cómo se ordeña una vaca?

En la actualidad, la mayoría de las vacas se ordeñan automáticamente. Antes se hacía a mano, por la mañana y por la tarde. Para hacerlo, hay que sentarse en una banqueta, colocando un cubo entre las piernas, debajo de la ubre. Se agarra un pezón con cada mano y se tira con fuerza de uno y después del otro, para que salga la leche. No es fácil.

Profesor Lumbreras

El uro es el antepasado del toro actual. El último fue sacrificado en Polonia en 1627. Los científicos han conseguido, mediante manipulación genética, «recrearlo» tomando de sus descendientes algunas de sus características: los cuernos grandes de una raza, la violencia de otra, el pelo de una tercera... Hasta obtener un animal... ¡prehistórico!

Prepárate un batido

Ingredientes para 6 personas: 1 l de leche, 2 huevos, 1/2 kg de fruta (fresas, manzanas, plátanos, piña; a tu gusto) y tres cucharadas de azúcar en polvo. Tritura la fruta. Añade los huevos y el azúcar. Bátelo todo junto añadiendo la leche. Ponlo en el frigorífico y sírvelo muy frío.

Ovejas, corderos, borregos y carneros pertenecen a la familia de los ovinos. Existen distintas razas de ovejas: blancas, negras, de lana rizada, con o sin cuernos... El ganado ovino proporciona carne, leche y lana. También las cabras son muy apreciadas porque con su leche se fabrican quesos deliciosos; por su lana suave y sedosa, y por su carne.

Lana «cinco estrellas»

① Los merinos tienen un magnífico vellón de mechas muy apretadas, blancas y onduladas, ideal para hacer jerséis.

② La cabra de Angora, originaria de Turquía, tiene un vellón fino, suave y brillante como la seda. Produce la agradable lana de mohair.

③ El carnero de Maine, de cabeza negra, tiene un pelo muy largo. Sus grandes mechas de varios colores son muy apreciadas para hacer alfombras y tapices.

Teje una alfombra

① Haz un marco utilizando cuatro palos de madera del tamaño de la alfombra. Pon una fila de clavos en los dos laterales.

② Pasa la lana en sentido longitudinal, tal como se indica en la ilustración.

③ Prepara un huso para hilar y pasa la lana una vez por encima y otra por debajo, apretando bien las filas④.

⑤ Puedes cambiar de color mientras tejes, anudando la primera hebra a la del color que vas a tejer ahora. Al principio y al final, haz un nudo bien fuerte para evitar que la alfombra se deshilache.

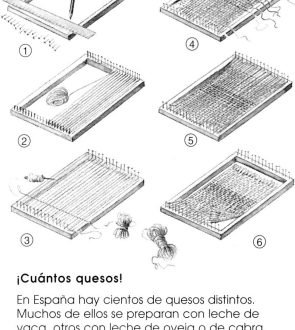

¡Cuántos quesos!

En España hay cientos de quesos distintos. Muchos de ellos se preparan con leche de vaca, otros con leche de oveja o de cabra. Manchego, de Cabrales, castellano viejo, del Roncal, de Burgos, gallego, de Mahón... Los hay para todos los gustos.

Tartitas de queso

Necesitas: 250 g de masa de hojaldre, 150 g de queso manchego, 250 g de queso blanco, 3 huevos, 1 dl de nata, 1 cucharada de aceite de oliva, sal y pimienta. Extiende la pasta en moldes pequeños. Hornéalos 15 minutos. Aplasta el queso manchego y mézclalo con el queso blanco, con la nata, con los huevos batidos y con el aceite. Añade sal y pimienta. Llena las tartitas y ponlas a fuego fuerte en el horno durante 15 minutos. Sírvelas bien calientes.

angloárabe

De la labranza al turismo

Los caballos de tiro se quedaron sin trabajo cuando aparecieron los automóviles y los tractores. Afortunadamente, el «turismo verde» se extiende cada vez más, y eso les ha venido bien a los caballos: granjas ecuestres, picaderos... Una buena forma de pasar unas vacaciones originales.

*A*unque ya los caballos no tiran de los carros ni de las diligencias, su doma sigue siendo una de las conquistas más nobles del hombre. En cuanto a los ponis y los burros, siguen haciendo las delicias de los niños.

burro *mula*

¿Mulo o burdégano?

El mulo nace del cruce de una yegua y un burro. El burdégano, por el contrario, nace de la unión de una burra y un caballo. El primero rebuzna y el segundo relincha. ¡Cuestión de herencia!

Símbolo de la estupidez

¡Pobre burro! Al parecer, este animal siempre ha encarnado la estupidez y la ignorancia, una imagen injusta inmortalizada en los refranes. Compañero del hombre desde siempre, en otra época el burro era apreciado como bestia de carga, pero cada vez se ven menos ejemplares. Hoy en día es un animal en peligro de extinción.

percherón

asno de Poitou

bayo claro

zán

isabelino

palomino

'o

gris tordo

's moteado

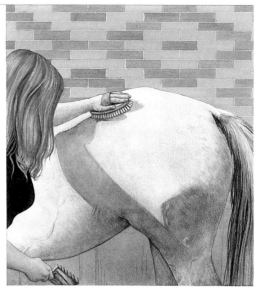

Cómo asear a un caballo

Bruza a tu caballo en el sentido del pelo,
para quitarle todas las briznas de paja que
tenga pegadas y el barro seco. Después,
lustra el pelo con un cepillo suave. Péinale
la crin y la cola. Quítale también la tierra
y las piedrecitas que tenga en las pezuñas.
Si es necesario, límpiale los ojos con una
esponja húmeda. Cuando vuelvas de
pasear con él, sécalo con unos manojos
de paja o de heno.

◀ Trajes de todos los colores

Los caballos tienen «trajes» de colores
y dibujos muy variados: bayo, alazán,
isabelino, pío, overo, bayo oscuro, roano,
palomino... ¿Sabías que la mancha que
algunos caballos tienen entre los ojos se
llama, dependiendo de la forma que
presente, «estrella», «luna» o «rombo»?

Las malas hierbas

En los prados y en los campos cultivados por el hombre, crecen algunas plantas cuyas semillas han sido diseminadas por el viento o por los animales, y entorpecen el desarrollo de las plantas cultivadas. Como no son bienvenidas, se les llama malas hierbas o hierbajos. Sin embargo, todas desempeñan un papel en la naturaleza.

① Tusílago

También llamado pata de mulo, el tusílago es una de las plantas favoritas de los amantes de la medicina natural, pero no de los agricultores, porque forma colonias que invaden los cultivos.

② Campanilla

La flor de esta planta trepadora se cierra de noche y se abre de día. Permite hacer predicciones meteorológicas, porque si se avecina una tormenta, se cierra la corola.

③ Lechuguilla

También llamada cardeña, tiene una savia blanca muy abundante, el látex, que sale al partir las ramas o las hojas.

④ Grama de las boticas

Es el terror de los jardineros. Sus hojas son planas y delgadas; además, esta planta tiene un rizoma reptante.

⑤ Murajes

También llamados hierba coral, es una planta muy tenaz. Antiguamente se usaba en medicina contra la rabia y las mordeduras de animales venenosos.

Las ortigas

¡Ay, cómo pica! Más vale que no te roces con los pelillos urticantes de esta planta. Para aliviar la picazón, ponte un poco de vinagre y no te rasques. Cuanto más te rasques, más te picará.

Puré de ortigas

Para cuatro personas: 200 g de hojas frescas de ortiga, 4 patatas, 4 cucharadas de nata, 20 g de mantequilla, 1 cucharada de harina, 1 l de caldo.
① Lava bien las hojas, córtalas y rehógalas en mantequilla.
② Espolvorea la harina, añade el caldo para diluir y después las patatas cortadas en tacos. Déjalo hervir 30 min. a fuego lento.
③ Pásalo bien con la batidora hasta obtener un puré fino. Para acompañar, añade unas rebanadas de pan con queso doradas al horno.

El truco de Robinsón

Para recoger ortigas, lo mejor es ponerse guantes. También puede valerte una bolsa de plástico gruesa que te cubra la mano. Además puedes agarrar la rama desde abajo y subir hacia arriba. Así sólo tocarás los pelillos de la parte inferior de las hojas, que no son urticantes. Las ortigas de flor blanca no pican.

cuajaleche

① ③

Desde la llegada de la primavera, las flores invaden los prados y los pastos ofreciendo un maravilloso espectáculo de color. A veces tienen nombres muy curiosos: cuajaleche, carretón, amor de dama, reina de los prados...

④

②

alfalfa

⑤

⑤ El rapincho

Sus campanillas azules florecen de mayo a agosto. Cuando el tiempo es desapacible se quedan cerradas.

② El botón de oro

Esta bella flor muestra su corola amarilla brillante de mayo a octubre.

③ El berro de prado

El berro, o mastuerzo de los prados, florece en primavera y en verano.

④ El azafrán bastardo

También llamado cólquico, debe su nombre a Cólquida, antigua nominación de la actual Georgia, junto al mar Negro. Florece en verano y en otoño en los prados húmedos.

El cuajaleche florece de mayo a septiembre en los prados, en los pastizales y en las cunetas. Entre estas plantas es posible que encuentres un «nido» escamoso y lleno de burbujas: es la larva de la cigarra, un insecto que crece en el interior de este amasijo espumoso denominado «baba de cuco» o «escupitajo de cuco».

① La alquimilla

También llamada pie de león, florece en verano; le gustan los pastos húmedos.

Recoge semillas

Recoge las flores
cuando los pétalos
ya estén secos.
Ponlas boca abajo
y sacúdelas encima
de un sobre, para
guardar dentro
las semillas. No te
olvides de escribir
en el sobre el
nombre de la flor.
Guárdalas en un
lugar seco
y siémbralas
en primavera.

Una pulsera de margaritas

Corta una
margarita de tallo
largo: la utilizarás
de pulsera.
Corta las demás
margaritas a ras
de la flor y
ensártalas en el tallo
largo como si fueran
las cuentas
de la pulsera.
Para cerrar tu joya,
engancha el
extremo del tallo
a su flor o átala
con un hilo.

Las granjas

Las tierras cultivables,
las cuadras, los graneros,
las naves donde se
guarda la maquinaria,
la casa donde vive
el agricultor... todo
forma parte
de la granja.
Una vez que canta
el gallo, comienza
a haber actividad.

● ● ●

*L*as granjas tradicionales y las pequeñas explotaciones familiares poco a poco van cediendo el paso a las grandes explotaciones agrícolas, que tienen un alto nivel de producción y exportan sus productos a todo el mundo.

Instalaciones tradicionales...

Antiguamente, antes de la aparición de la maquinaria, había que hacerlo casi todo a mano (ordeñar las vacas, preparar la comida de los cerdos, dar de comer a las gallinas...). En los edificios contiguos a la casa –el establo, la cuadra, la porqueriza, el gallinero, la conejera– se guardaban los animales, cuando no estaban correteando por el campo o por el corral.

... e instalaciones industriales

Actualmente, muchas fincas se han modernizado y se han especializado en la producción a gran escala. En estas nuevas explotaciones agrícolas, a veces inmensas, los animales suelen estar encerrados en naves gigantescas.

Las vacas se ordeñan con máquinas, a los cerdos se les da la comida automáticamente... Es la era de la mecanización.

Un destino poco envidiable

Algunas granjas son auténticas fábricas de pollos. Los huevos se ponen en incubadoras eléctricas. En cuanto eclosionan, los pollitos son metidos en cajas, amontonados, y llevados a las industrias especializadas. Allí se les alimenta antes de acabar, con su vida. Las gallinas ponedoras no corren mejor suerte: se han convertido en «máquinas ponedoras», bajo una iluminación artificial.

Afortunadamente, todavía se pueden encontrar buenos productos de granja.

El juego del tesoro

Si tienes la suerte de pasar unos días en una granja, puedes organizar un juego de pistas para buscar un tesoro.
Número de jugadores: 4, de los cuales uno dirigirá el juego. El animador, que va rotando, define el camino, las pistas, las trampas y el tesoro. El itinerario está marcado con señales pintadas en las piedras, con palos, con tapones, con mensajes escritos (por ejemplo: «La siguiente pista está a cien pasos detrás del gallinero») o mensajes, para descifrar un jeroglífico.
Para que el juego resulte más divertido, pon pistas falsas que despisten a los menos avispados. Marca con una cruz el lugar del tesoro. El primero que lo encuentre será el ganador.

*E*xisten distintos tipos de gallinas y gallos: los hay enanos y gigantes, con plumas multicolores, con crestas de distintas formas... Se pasean por la granja con total libertad o se reagrupan con otras aves, con las que conviven en el corral.

El gallinero

Al anochecer, las gallinas y los gallos vuelven al gallinero, donde se protegen de la intemperie, de los perros y de los zorros. Allí ponen los huevos las gallinas. Lo más normal es que haya sólo un gallo para muchas gallinas.

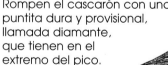

¿Pollito o huevo frito?

Una gallina pone un huevo diario. En cada puesta hay de 7 a 14 huevos. Pero no comienza a incubarlos hasta que no ha puesto el último. Si los huevos están fecundados por el gallo, los pollitos nacerán veintiún días después. Rompen el cascarón con una puntita dura y provisional, llamada diamante, que tienen en el extremo del pico.

¿Por qué las gallinas picotean el suelo?

La principal actividad de las gallinas consiste en buscar comida: granos (maíz, trigo), insectos y gusanos que encuentran al picotear el suelo. Pero también se comen la tierra. Las piedrecitas que tragan les sirven para triturar la comida y les aportan los elementos necesarios para formar la cáscara de los huevos.

Huevos de fiesta

Vacía con cuidado un huevo, después de hacerle un agujerito con una aguja. Lávalo despacio. Una vez seco, úntalo con pegamento transparente y hazlo rodar sobre confeti de todos los colores. También puedes pintarlo, cubrirlo con pétalos de flores secas, con adhesivos... Pon a prueba tu imaginación.

Dentro de la gran familia de las aves de corral podemos encontrar ocas, patos, palomas, codornices, pintadas, pavos... Todas éstas se crían porque proporcionan carne y huevos. Ciertas especies de patos y de gansos se engordan para fabricar después patés, e incluso las plumas de algunas de estas aves sirven para hacer almohadas y cojines.

¿Monógamo o polígamo?

El macho del ganso salvaje, también llamado ganso bravo, es monógamo. Sin embargo, cuando está domesticado, actúa como el gallo: reina sobre tres o cuatro hembras, a las que vigila celosamente. No se te ocurra acercarte en época de celo. No es nada amable y, además, si te pica, te dolerá...

Los gritos del corral

El pavo gluglutea, el ganso grazna, la gallina cloquea y cacarea, el pato parpa, la paloma arrulla y la pintada chilla. La codorniz piñonea...
¡Vaya sinfonía!

El pavo rollizo ▲

Originario de los altiplanos de México, y descubierto por Cristóbal Colón en el siglo xv, el pavo es la más grande de las aves de corral. Puede llegar a pesar 20 kg.

El palomo celoso

El palomo es muy celoso, no tolera que otro macho corteje a su paloma. Cada pareja se instala en un nido separado. La hembra suele poner dos huevos que incuban ambos progenitores. Tres semanas más tarde nacen los pichones.

El cortejo del pavo

Al igual que el pavo real, el pavo de corral despliega las plumas de la cola formando un abanico para seducir a las pavas. Para colmar su exhibición, además gluglutea, y el cuello y la cabeza se le ponen rojos.

Escribe con una pluma de ganso

Antiguamente se utilizaban plumas de ganso para escribir. ¿Por qué no pruebas tú? Antes de utilizarla, haz un corte inclinado en la pluma y dobla un poco la punta. Mójala en tinta y... espera a que venga la musa.

El cerdo es el animal más popular
de la granja, y el más rentable.
No resulta complicado criarlo y come
de todo, pero, además, todo su cuerpo
es aprovechable. Las patas, el magro,
la piel, las costillas, las tripas...
De la cabeza a los pies, todo se come,
y son muchas las variedades distintas
para prepararlo.

Más sucio que un cerdo...

Esta expresión viene
de la costumbre
que tiene el cerdo
de tumbarse
y rebozarse en
el fango. Lo hace
para quitarse de
encima los parásitos
y las moscas
que le pican.
Si su porqueriza está
limpia, verás que
el cerdo es rosado...

Premio ➤ a la natalidad

La más precoz
y la más prolífica
es la raza Meishan.
Esta cerdita china
puede tener
descendencia
desde los tres
meses de edad,
y puede parir
45 cochinillos
en un año.

Otros nombres del cerdo

El cerdo es uno
de los animales
que más nombres
recibe: puerco,
cochino, marrano,
gorrino, gocho...
El macho se llama
verraco; la hembra,
marrana; y las crías,
lechones.

Las mejores tetillas

Los cochinillos son unos comilones: se pasan el día mamando. Los más espabilados se reservan las tetillas de la parte delantera, porque dan más leche. Cuando nacen, los lechones pesan entre 1 y 1,5 kg, y a los seis meses pesan unos 100 kg, de forma que multiplican su peso por 70.

Buscadores de trufas

El cerdo se caracteriza porque tiene un olfato muy desarrollado. En algunas regiones se les utiliza desde hace mucho tiempo para buscar trufas, unos hongos muy apreciados por los gastrónomos y que se encuentran bajo tierra.

El juego del cerdo

Cada jugador dispone de un cerdo desmontable en varias piezas. El juego consiste en montar las piezas lanzando los dados por turno. Cada número obtenido da derecho a montar una pieza: 6 = el cuerpo, 5 = la cabeza, 4 = una pata, 3 = el rabo o una oreja, 2 = un ojo, 1 = el hocico. ¡Cuidado! No vale colocar el hocico si aún no has puesto la cabeza. El ganador es el que primero termine de montar su cerdo. Para cada cerdo necesitas: 1 patata (cuerpo), 5 cerillas (patas y cuello), 1 rabanito (cabeza), 1 trozo de corcho y 2 cabezas de cerilla (hocico), 2 clavos de especia (ojos), 2 clips (orejas), 1 tornillo (rabo).

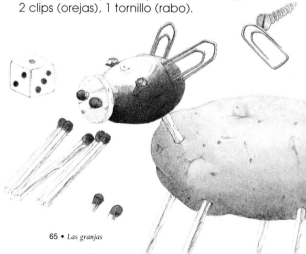

*E*xisten más de cien variedades de conejos domésticos, clasificados dependiendo de su tamaño, su colorido y su pelo. Al igual que el de monte, el conejo doméstico es muy estimado por su alta capacidad reproductora.

¡Qué variedad!

Gigantes, enanos,
de angora,
de un solo color
o de varios colores...
Los hay para
todos los gustos.
Su nombre suele
indicar su origen
o su color:
albar,
gris borbonés,
plateado de
Champaña,
dorado de Sajonia...

Familia numerosa

La coneja es muy fecunda: desde los cinco meses, puede parir camadas de doce crías cuatro veces al año. Los conejos nacen pelados, ciegos y sordos. Diez días después ya han doblado su peso, abren los ojos y tienen la piel cubierta por una fina pelusilla.

Profesor Lumbreras

Los conejos y las liebres se pasan todo el día royendo; sin embargo, no pertenecen a la familia de los roedores, sino a la de los lagomorfos. Se diferencian de los roedores en que tienen un segundo par de incisivos en la mandíbula superior y en que, además, las patas delanteras no les sirven para agarrar la comida.

Mi amigo el conejo

Si quieres que tu conejo sea un verdadero amigo, sigue estos consejos para cuidarlo. Colócalo en una conejera llena de paja. Constrúyele una casa de madera para que duerma. Échale mondas, verduras cocidas y cereales (avena, cebada, maíz), por la mañana y por la tarde.

Es importante que no le des patatas, repollo, judías verdes crudas, ni lechuga mojada, porque le hinchan el vientre. Ponle cerca un cuenco con agua fresca. Dale pan duro para que utilice sus incisivos y lo roa. Cámbiale la paja con regularidad y déjale estirar las patas fuera de la conejera, pero siempre vigilándolo.

Muchos animales salvajes encuentran alojamiento en las dependencias de la granja. Allí nunca les falta comida y se está calentito en invierno. Entonces, ¿para qué molestarse?

La tegenaria

Es imposible que no la veas. Esta gran araña es una de las más llamativas de las 35 000 especies que se conocen. Mide de 5 a 6 cm con las patas estiradas. Su tela, visible todo el año y a veces cubierta de polvo, invade los graneros y los establos. Mira bien en los rincones y en el techo, debajo de las vigas.

El vespertilio común

Este pequeño murciélago revolotea en las noches de verano, para buscar insectos. No tengas miedo. No te agarrará del pelo. Su sonar le sirve para detectar hasta el obstáculo más pequeño, incluso en la noche más cerrada. Por el día se refugia en los techos de las granjas o en los graneros.

La lechuza

Esta ave nocturna se caracteriza por su antifaz blanco en forma de corazón. También llamada coruja, curuca, bruja o estrige, le gusta vivir en los graneros. Pero esta inquilina nocturna no es discreta: aúlla, ronca, chilla y silba. Parece una locomotora. Puedes verla de noche, cuando caza.

Las golondrinas

A la golondrina común le gusta vivir en el interior de los edificios; por el contrario, el avión común prefiere los aleros de los tejados. Estas dos especies son fieles a su nido y lo habitan de un año para otro. Obsérvalas cuando vuelven en primavera.

Construye nidos de golondrina

Necesitas: 1 cuenco de unos 18 cm de diámetro, periódicos, pegamento, 2 tablas de madera de 40 x 25 cm, vaselina.
① Unta el exterior del cuenco con vaselina (así será más fácil sacar el molde). Pega encima tiras de papel de periódico, en todos los sentidos, hasta que su grosor sea aproximadamente de un centímetro. Déjalo secar durante 3 o 4 horas antes de sacarlo del molde.
② Corta el cuenco de papel obtenido en dos partes. Rebaja un poco la orilla de cada parte para que sea la entrada al nido.
③ Une las dos tablas formando un ángulo recto. Clava las dos mitades de papel, una junto a la otra. Ya está: ya tienes dos nidos fantásticos, sólo te faltan sus ocupantes.

El ratón gris

Este pequeño roedor vive cerca del hombre. Mordisquea todo lo que encuentra y le gusta pasar el invierno al calor de las casas o de los establos. Puedes verlo correr por los graneros, por el gallinero... por todas partes donde encuentre comida.

El huerto

El huerto es un jardín
en el que se cultivan
verduras, legumbres,
árboles frutales,
plantas aromáticas
para cocinar
y otras hortalizas.
Los huertos suministran
alimentos naturales
y muy sabrosos para
el consumo familiar.

● ● ●

*L*a historia de las hortalizas se inició varios miles de años antes de nuestra era. Su cultivo se remonta a las primeras civilizaciones, en distintos puntos del mundo...

Cultivos ancestrales

Puerros, rábanos, calabacines...,
Todas estas hortalizas,
y muchas otras,
ya eran cultivadas
por los asirios,
los egipcios,
los romanos
y los hebreos...

Grandes viajeras

Muy pronto,
las hortalizas
empezaron a viajar.
Las conquistas
contribuyeron
enormemente a
que otros pueblos
las conocieran.
Pero, con la caída
del Imperio romano,
muchas plantas
dejaron de
cultivarse.
En el siglo xv, con
el descubrimiento
de América,
comienza el nuevo
esplendor de las
hortalizas.

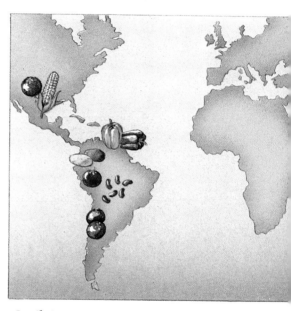

¿De dónde vienen las legumbres?

La «carne del pobre»

En el siglo XVIII,
a las hortalizas
se les llamaba
«carne de pobre»,
porque la carne
sólo estaba
al alcance de los
ricos.

¡Increíble!

Los arqueólogos han encontrado semillas de pepino que datan del año... 7 500 antes de Cristo.

Sellos hechos con patata

Corta una patata en dos. Con un cuchillo, haz un dibujo en relieve en cada mitad: pueden ser letras (tus iniciales, por ejemplo) o algún motivo decorativo. Prepara en un plato la tinta (pintura a la aguada). Moja el sello y estámpalo en una hoja.

¡Cuidado!

Para que se impriman correctamente las letras, debes hacerlas del revés en la patata, tal como se ven en un espejo.

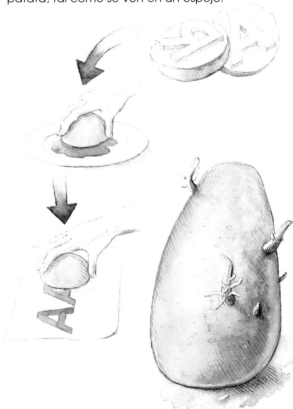

La papa del Perú

Traída a Europa desde el Nuevo Mundo hacia el año 1570, aún tendrían que pasar dos siglos para que la patata consiguiera el éxito que tiene hoy en día.

En el huerto se cultivan plantas de todos los colores, de todas las formas y de todos los sabores... Dependiendo del tipo de hortaliza de que se trate, se comen las hojas, las raíces, las semillas o las flores.

Raíces...

Zanahorias, patatas, nabos, remolacha, rabanitos, espárragos... Son algunas de las raíces que normalmente comes, crudas o cocidas.

... semillas...

¡Qué aburrido es pelar los guisantes, las habas y las judías!

En el caso de las judías verdes, también se come la vaina. Verdes, blancas o pintas, las judías pueden conservarse secas.

... hojas...

Acelgas, cardo, apio, puerro, espinacas, o cualquier variedad de col o de lechuga: comes hojas llenas de clorofila.

... y flores...

Alcachofas, coliflor... Sólo te comes la flor de la planta. La alcachofa se recoge justo cuando comienzan a abrirse sus pétalos.

Pon a germinar una judía

Necesitarás unas judías, un vaso, papel secante y algodón.

① Haz un cilindro con el papel secante y mételo en un vaso. Rellena de algodón el cilindro.

② Coloca las semillas (las judías) entre el vaso y el papel secante, y echa un poco de agua, sin que llegue a cubrir las judías.

③ Pon el vaso en un lugar oscuro. Añade agua para que el algodón esté siempre húmedo. En unos cuantos días, las judías germinarán.

Puedes hacer el mismo experimento con cualquier semilla: lentejas, pipas de girasol, habas, granos de maíz...

Vajilla de calabazas

Elige seis calabazas medianas. Vacíalas y ponlas a secar. Conseguirás unos recipientes muy originales.

El truco de Robinsón

Si no quieres llorar, pela las cebollas y mételas en agua.

¿Sabes lo que significan estas expresiones?

- «Entre col y col, una lechuga».
- «Ponerse rojo como un tomate».
- «Eso son habas contadas».
- «Dar calabazas».
- «Tener cara de acelga».

Las hortalizas, fuente de salud

Sea la época del año que sea, si quieres estar en forma, consigue un montón de vitaminas incluyendo en tu comida todo tipo de hortalizas. Además de por su sabor, son excelentes por sus propiedades terapéuticas. Aquí tienes algunos remedios de la abuela...

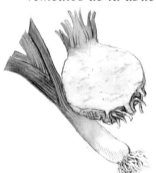

Dolor de muelas

Hasta que vayas al dentista, enjuágate la boca con el agua de cocer una mata de zanahorias. Te aliviará el dolor. También te vendrá bien masticar clavo.

Para cicatrizar las heridas

Las hojas de col, aplicadas a una herida, ayudan a cicatrizarla. En quemaduras leves, una cataplasma de patata rallada alivia el dolor, lo mismo que la pulpa de melón.

Para el dolor de garganta y la tos

¿Estás acatarrado? ¿Te duele la garganta? Nada mejor que un buen caldo de apio o de puerro con miel. También puedes hacer gárgaras con el agua de cocer los nabos. Si toses, corta el corazón de un rábano, échale azúcar morena y déjalo macerar durante doce horas antes de comértelo.

Si te has cortado, ponte unas hojas de repollo maceradas durante dos horas en agua de limón.

Insomnio, falta de apetito, problemas de hígado

La cebolla, como la lechuga, tiene propiedades calmantes y favorece el sueño. Los espárragos, los rábanos y las zanahorias, ingeridos al principio de la comida, abren el apetito.

Para el hígado, come alcachofas, porque mejoran la secreción biliar. La achicoria amarga, o diente de león, estimula el hígado y el páncreas.

El caldo de la salud

Para cuatro personas: 2 puerros, 1 lechuga, 10 hojas de acedera, 1 manojo de cebollinos, 20 g de mantequilla, 1 yema de huevo, 5 cl de nata, 1 cucharada de harina, sal.

Lava las verduras. Pica las acederas y el cebollino. Corta los puerros y la lechuga. Rehoga las verduras en la mantequilla, unos cinco minutos. Espolvorea la harina y dilúyela añadiendo un litro de agua. Echa sal y déjalo hervir unos 30 minutos. Bate la yema con la nata en una sopera. Échalo encima de las verduras, mezclándolo todo. Sírvelo bien caliente.

Juega a ser tintorero

Si tienes una camiseta blanca vieja y quieres teñirla de rojo, utiliza remolacha; para naranja oscuro, usa piel de cebolla; para verde, espinacas. Pon en un cazo la verdura que elijas y añade mordiente (sustancia que sirve para fijar los colores). Cúbrelo con agua fría y ponlo a hervir durante una hora. Déjalo reposar unos 20 minutos y después mete la camiseta y caliéntalo otra vez hasta que hierva, sin dejar de moverlo. Déjalo enfriar, escúrrela y ponla a secar a la sombra.

Fragantes y deliciosas, las plantas aromáticas condimentan los platos de los más exquisitos gastrónomos. Además de sabor, aportan muchos elementos necesarios para la salud y tienen propiedades medicinales.

Contra el catarro

¿Estás acatarrado? Bebe una infusión de tomillo o haz vahos: es perfecto para limpiar los bronquios.

Antimosquitos

La albahaca, que es una planta sagrada en la India, da un gusto exquisito a la pasta... También es buena para acabar con el estreñimiento, la aerofagia, el dolor de cabeza, la tos y... los mosquitos.

La planta que salva...

El nombre de la salvia viene del latín *salvare*, que significa «salvar». Su fama no es inmerecida,

puesto que esta planta posee numerosas propiedades medicinales: facilita la digestión, ayuda a cicatrizar las heridas e incluso baja la fiebre.

Cultiva plantas aromáticas

Necesitas: una jardinera grande o varios tiestos, piedras, tierra, y plantas para trasplantar. Puedes elegir entre salvia, tomillo, orégano, perejil y laurel.
Pon una capa de piedras en el fondo de los tiestos para que el agua pueda salir y así drenar bien la tierra. Rellena después con tierra y trasplanta tus hierbas. Riégalas con regularidad. ¿Cuál es la mejor época para plantarlas? Marzo o abril.

salvia

Profesor Lumbreras

Para los griegos, el romero era el símbolo de la inmortalidad del alma; en la Edad Media se utilizaba para conjurar la mala suerte.

*D*evoran, mordisquean y roen todo lo que encuentran a su paso. Ni las hortalizas ni las frutas se libran de sus enemigos.

musaraña

Por un lado, los amigos...

El erizo se encarga de acabar con las babosas y las orugas; el murciélago se come todo tipo de insectos. A los pájaros les encantan los insectos y las arañas. Los batracios se alimentan de gusanos y de larvas. Pero también hay insectos benefactores, como el cárabo o la avispa parásita.

ratón de campo

... y por otro, los enemigos

El escarabajo se deleita comiendo patatas, y el pulgón en las hojas de las tomateras.

escarabajo de la patata

El escarabajuelo prefiere el repollo y el rábano. A la pirausta le encantan los guisantes; al caracol y a la babosa, la lechuga. El gusano gris se come las alcachofas... Al ratón de campo le gusta mordisquear las fresas; los mirlos se deleitan comiendo bayas. Cada uno tiene sus gustos.

zorzal

Un catador refinado

Al zorzal común le encantan los caracoles, pero antes de comérselos les quita la concha.

¡Qué tragona!

La musaraña se come diariamente una cantidad de larvas y babosas equivalente a su propio peso.

babosa

Refugio de invierno

Para el suelo, clava unas traviesas de madera sobre dos listones. Cúbrelo con una capa de heno. Pon encima una caja o una banasta de madera, dejando un hueco para la entrada. Cubre la caja con un plástico, para protegerla de la intemperie, y pon una o dos filas de troncos de madera para hacer el tejado.

Comida de primavera

En un plato, pon unas cortezas de queso, unos trocitos de carne, patata cocida y pan mojado en leche. Ten paciencia y espera a tu inquilino.

¿Cuándo se pueden ver los erizos?

A la caída de la noche, cuando salen a cazar.

Haz un juego de damas con la concha de los caracoles

Para el damero, corta un cuadrado de 24 x 24 cm en cartulina dura. Dibuja las casillas de 3 cm de lado (tiene que haber 64). Pinta de negro una sí y otra no. Para las fichas, necesitarás 26 conchas de caracol vacías (24 para jugar y 2 de recambio). Límpialas con cuidado utilizando un cepillo de dientes viejo. Una vez secas, pinta la mitad del color que quieras y barniza las otras.

*B*ajo tierra hay muchísima actividad. Por donde quiera que mires, el suelo está agujereado, excavado, perforado... Hay galerías subterráneas que miden cientos de metros.

Corazones delicados

Cuando la musaraña se ve sorprendida por el enemigo, se le acelera el corazón. Puede incluso llegar a morir de paro cardíaco, por miedo. No es fácil verla, pero sus huellas se reconocen por sus cinco dedos minúsculos.

El jardinero sin azada

La lombriz, o gusano de tierra, remueve, ventila, ahueca y fertiliza la tierra con su incesante trabajo de perforado. ¡Vaya jardinero!

La desesperación de los jardineros

El topo desespera a los jardineros: cava galerías subterráneas y se come todos los brotes nuevos de las plantas. Sin embargo, también presta un gran servicio, porque se come muchos insectos y larvas. Si quieres verlo, empieza por buscar montoncitos de tierra en el suelo: las toperas. A veces, a la caída de la tarde, asoma la cabeza.

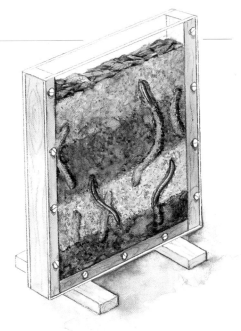

Haz una casa para las lombrices

Necesitas: 2 planchas de plástico rígido transparente de 25 x 30 cm, 5 tablas de madera de 2 cm de espesor y 5 cm de ancho (dos de ellas deben ser de 30 cm de largo, una de 21 cm y las otras dos de 9 cm), una sierra, un destornillador, tornillos y pegamento.

① Para el marco, atornilla los tres trozos grandes de madera formando una «U» y pega los dos pequeños para que sirvan de base.

② Atornilla las planchas de plástico al marco.

③ Rellénalo con varias capas de tierra (mantillo, brezo...) y cúbrelo con otra capa de hojas. Riégalo ligeramente y mete tres o cuatro lombrices.

④ Pon tu «lombrizario» en un sitio fresco y oscuro. Al cabo de unos días, podrás ver el trabajo de tus huéspedes cavando galerías. Comprueba que la tierra esté siempre húmeda pero no encharcada. Y no olvides dejar luego en libertad a tus lombrices.

El truco de Robinsón

Para que las lombrices salgan a la superficie, al caer la noche, riega un trozo de tierra con un poco de detergente para la vajilla diluido en agua.

CAPÍTULO 7

Viñas y frutales

Las viñas y los frutales
ofrecen un hábitat
muy rico y una
abundante fuente
de productos
alimenticios que
atraen la atención
de muchos animales
y a nosotros nos abren
el apetito.

*E*n primavera, los diferentes frutales
se llenan de multitud de flores
de distintas formas y colores. Todas
tienen el mismo destino: convertirse
en frutos que producirán semillas,
y éstas, a su vez, en árboles que
se llenarán de flores...

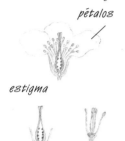

pétalos

estigma

pistilo   estambres

Masculinas y femeninas

Las flores tienen órganos masculinos:
los estambres, que producen el polen;
y órganos femeninos: el estigma, en el
que se pega el polen; y el ovario, con
uno o varios óvulos, situado en el fondo
del pistilo. Para que una flor
se transforme en fruto,
el polen tiene que llegar al óvulo.

Gracias, insectos

¿Cómo llega
el polen hasta
el pistilo?
Gracias al viento,
pero también
gracias a los
insectos, que,
al ir de flor en flor,
transportan y
depositan los granos
de polen de una flor
en el estigma
de otra.

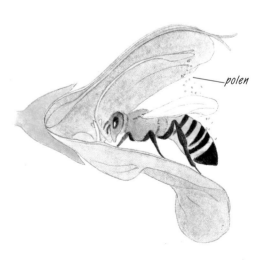

polen

La muerte de una flor...

Cuando la flor
es fecundada,
se marchita poco
a poco: se le caen
los pétalos,
y los estambres
y el pistilo se secan.

... y el nacimiento del fruto

El ovario empieza
a crecer
y se transforma
en semilla.
Algunos frutos, como,
por ejemplo, la cereza,
sólo tienen una semilla
rodeada de una
cáscara dura
parecida a la
madera: el hueso.
Otros, como la pera,
tienen varias semillas:
las pepitas.

*flores y frutos
del cerezo*

Los frutales

Algunos árboles dan frutos con hueso; otros, con pepitas o incluso con cáscara dura. Para conseguir buenos frutos hay que dedicarles muchos cuidados y mucho trabajo. Pero, qué placer se siente al morder una fruta dulce y jugosa.

starking

golden

reineta

5.000 variedades

Originario del Cáucaso, el manzano ha sido cultivado por el hombre desde la Antigüedad. Actualmente existen más de 5000 variedades de manzanas en el mundo. Se las clasifica por la época en que maduran y por sus características externas. Crudas están deliciosas, pero también se pueden cocinar.

granny Smith

reina

nahi

jonathan

Colecciona huellas de árbol

Pincha una hoja de papel blanco en el tronco de un árbol. Frótala con una pintura de cera o con un lápiz blando. Aparecerá el dibujo de la corteza. No olvides anotar el nombre del árbol en cada hoja. Después dibuja al lado el fruto, la flor o la hoja, y la silueta del árbol.

Un injerto de púa

Haz unas muescas debajo de la corteza de un tronco cortado y mete dos o tres ramitas con yemas que hayas cogido de otro árbol. Sujétalas bien con rafia y cúbrelo con masilla especial para que cicatrice.

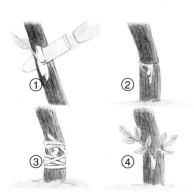

① ② ③ ④

Profesor Lumbreras

Las mariquitas eliminan las cochinillas y los pulgones de los árboles mejor que el insecticida. Además, sus larvas son aún más comilonas.

mariquita

*N*aranjas, limones, pomelos, mandarinas... Todos estos cítricos son frutos con pepitas cuya pulpa jugosa es rica en vitaminas. Son excelentes para la salud.

La cidra

No confundas el limón con la cidra. Se parecen mucho, pero la cidra es algo mayor, tiene una corteza gruesa y carnosa con un aceite esencial y no se come. Se usa para hacer confituras y en medicina.

Profesor Lumbreras

La mandarina, o tangerina, es pequeña, aplastada, de cáscara muy fácil de separar y de pulpa muy dulce. Sin embargo, la cáscara de la clementina es más roja, sus gajos no tienen pepitas y no son tan dulces.

La mandarina

«La naranja de los mandarines», cultivada en China desde hace 2 000 años, llegó a Europa el siglo pasado. La clementina es un híbrido de mandarina y de naranja amarga, obtenido por el padre Clemente hacia 1900.

El truco de Robinsón

Si quieres quitar fácilmente la piel blanca del pomelo, pélalo y mételo en el frigorífico. Allí la piel se seca y te resultará más fácil quitarla.

Cáscaras confitadas

Necesitas naranjas, limones, azúcar en polvo, papel vegetal y un cazo.

① Lava la fruta y pela la cáscara en láminas largas.

② Echa azúcar y un poco de agua en el cazo. Cuando se haga almíbar, añade las cáscaras y déjalas hervir unos 15 minutos.

③ Escúrrelas y ponlas a secar en el papel vegetal. Están exquisitas.

Popurrí de cáscaras de cítricos

Pela las frutas en láminas finas y ponlas a secar en el horno caliente. Ten cuidado de no quemarte y no dejes que se te asen. Una vez secas, corta las láminas en trocitos y colócalas en un tarro de cristal bonito o en una cestita de mimbre.

Un ambientador natural

Coge una naranja, un pomelo o un limón grande. Clava unos clavos (de especia) por toda la superficie y déjalo secar durante varias semanas dentro de una bolsa de papel. Átalo con una cinta bonita y ponlo delante de una ventana o en un armario para perfumarlo.

Cerezas, albaricoques, nectarinas, nísperos, melocotones, ciruelas: todas ellas son frutas con hueso y tienen una carne jugosa, dulce y deliciosamente perfumada. Las hay de distintos tamaños y colores. Unas maduran desde el mes de mayo; otras, en pleno verano.

A punto

Los albaricoques se recogen cuando están maduros, en julio y en agosto, porque, una vez cortados, ya no maduran más. También puedes comerlos fuera de temporada, pero secos.

Ciruelas

Amarillas, rojas, verdes, moradas; redondas u ovaladas... Hay muchos tipos de ciruelas. Claudia, damascena, cascabelillo, abricotina, de data, diaprea, francesilla, zaragocí. ¿Sabías que esta última se llama así porque es originaria de Zaragoza?

Los «cascanueces»

Para desgracia de los agricultores, a los camachuelos y a los picogordos les encanta comerse las yemas de los árboles frutales, pero además rompen el hueso de la fruta para comerse las semillas y tiran la pulpa.

¡Para comérselas!

Al igual que a ti, a los pájaros también les gustan las cerezas. Antes de que acaben de madurar, coloca en tu cerezo papel de aluminio, globos inflados y trozos de lana de colores. Esto espantará a las aves y así evitarás que se las coman todas antes que tú.

Para silbar como un mirlo...

Coge un hueso de albaricoque. Perfóralo por los dos lados y, con una aguja, vacía su interior. Ponte el silbato entre los dientes. Aspira aire y sopla modulando los sonidos con la lengua.

El truco de Robinsón

Sólo si está madura, los pájaros y las avispas van a la fruta. Es tu mejor indicador. Cuando esto ocurra, es el momento justo de recogerla...

Haz un recogefrutas

Corta una botella de plástico en dos. Mete la parte de la boca en el mango de una escoba. Haz una muesca en el borde superior de este embudo. Para recoger un fruto, coloca la muesca debajo del rabito de la fruta y tira: caerá directamente al «recogedor». Ingenioso, ¿verdad?

Las colmenas

Símbolo del trabajo, la abeja nos proporciona cera y miel; de ahí que el hombre se dedique a su cría desde hace siglos. Este insecto social vive en colonias, donde hay una reina, miles de obreras y cientos de machos, los zánganos.

Cada uno su trabajo...

Desde que nace, la obrera se encarga de la conservación de las celdillas de las colmenas. Más tarde, esta perfecta «ama de casa» pasa a ser nodriza de la cresa, productora de cera, abeja ventiladora... y termina su carrera como libadora. El único trabajo de la abeja reina es la reproducción: cada día puede llegar a poner 2 000 huevos.

La fabricación de la miel

Las libadoras chupan el néctar de las flores. Cuando vuelven a la colmena, se la regurgitan a las «domésticas», que la mastican. Mezclado con su saliva, el néctar se transforma en miel. Después la colocan en las celdillas, la ventilan y la recubren de cera.

Recogida de la miel

Con su traje especial, el apicultor ahúma la colmena para ahuyentar a las abejas, sin molestar a la reina. Después, quita los panales llenos de miel.

La comida de las abejas

Pon un poco de agua con azúcar en un plato. Vendrán una, dos, tres, cuatro abejas... a beber el líquido azucarado.

Cuando una abeja encuentra comida, avisa a las demás con un «baile».

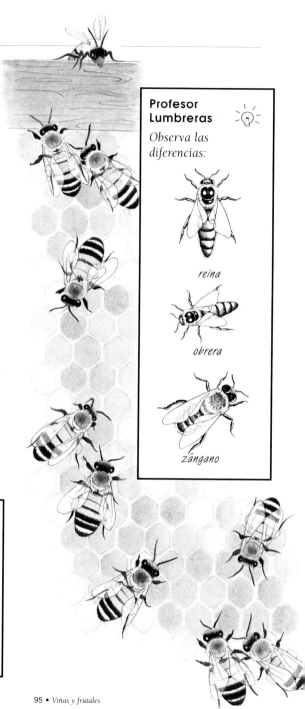

Profesor Lumbreras

Observa las diferencias:

reina

obrera

zángano

Consejo de Robinsón

Si te pica una abeja, sácate el aguijón con unas pinzas de depilar. Ten cuidado, no rompas la bolsa de veneno. Después, desinfecta la picadura.

Las vides, o cepas, son arbustos muy delicados. Para que sus uvas lleguen a madurar, los viticultores tienen que cuidarlas durante todo el año: podarlas, sarmentarlas, ararlas, destallarlas, tratarlas... En otoño recogen la uva: ha llegado la vendimia.

... y mediante máquinas

La vendimiadora pasa por encima de las vides, sacude los racimos y recoge las uvas. Esta máquina realiza el trabajo de 50 vendimiadores, y lo hace... tres veces más deprisa.

Vendimia manual...

Agachados, los vendimiadores cortan los racimos maduros con una navaja o con una tijera.

Gelatina de uva

Necesitas: 2 kg de uvas blancas, 250 g de azúcar por cada litro de zumo.

① Lava los racimos y desgránalos.

② Pon las uvas en un recipiente y aplástalas con una espumadera.

③ Cuela el zumo, pésalo y añade el azúcar que le corresponda.

④ Déjalo hervir unos 30 minutos mientras lo remueves. Ponlo en frascos.

Profesor Lumbreras

A finales del siglo XIX, un insecto diminuto originario de Norteamérica, la filoxera, destruyó una gran parte de las vides de Europa. Para acabar con la plaga hubo que arrancar todas las vides enfermas y después injertar las cepas con vides americanas, resistentes a este insecto destructor.

Landas y carrascales

El aspecto desolado
de estas enormes
extensiones de terreno
ha inspirado a
numerosos escritores,
como el célebre
Sherlock Holmes,
y ha originado muchas
leyendas populares.
Se contaba que allí
había duendes,
enanitos y
otras criaturas...

L as landas y los carrascales son grandes extensiones de tierra seca y pedregosa, o pantanosa, poco frecuentadas por el hombre. Allí dominan las plantas raras y se refugian muchos animales.

Landas

Durante el invierno, las landas, propias de las regiones templadas, ofrecen un paisaje desolador, normalmente azotado por el viento. En primavera, sin embargo, son una explosión de colores y aromas. El rosado del brezo se mezcla con el amarillo de la retama y el verde de los helechos.

Carrascales

Propios de regiones mediterráneas y de suelos calcáreos, los carrascales, resecos por el sol en verano, ofrecen un paisaje árido.

Constituyen el dominio de los conejos, las serpientes y la perdiz roja. También es el paraíso de las plantas medicinales y aromáticas.

El esfagno

Este musgo primitivo no tiene raíz, vive en las turberas y en las marismas. Existe desde hace 400 millones de años. Es la planta más antigua del mundo.

El canto de los insectos

El saltamontes frota una de sus grandes patas traseras, provista de unos dientes minúsculos, contra los nervios de sus élitros. El grillo fricciona enérgicamente sus alas, una contra otra. La cigarra tiene en el abdomen dos membranas, los címbalos, dentro de un «tambor». Al contraer sus músculos, los címbalos vibran y el tambor amplifica el sonido. Cada uno tiene su técnica.

Los pequeños cantores

En los carrascales, durante las cálidas noches de verano, puedes oír el canto de los grillos y de los saltamontes.

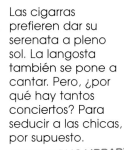

Las cigarras prefieren dar su serenata a pleno sol. La langosta también se pone a cantar. Pero, ¿por qué hay tantos conciertos? Para seducir a las chicas, por supuesto.

*L*as landas y los carrascales constituyen un auténtico jardín botánico. Los pastores, los cazadores y los amantes de la naturaleza son prácticamente los únicos que los visitan. En estas alfombras de flores, a veces se encuentran plantas muy raras.

Baños de lavanda

Corta un cuadrado de tela fina de unos 15 cm de lado. Pon flores de lavanda secas en el centro. Junta las esquinas y átalo con una goma o con un lazo. Cuando te bañes, pon el saquito debajo del chorro de agua caliente. Puedes guardarlo y utilizarlo varias veces.

Los pioneros de las landas

Mitad algas, mitad hongos, los líquenes son unas plantas muy raras, aunque muy fuertes: resisten tanto la sequía como la humedad; el frío y el sol ardiente. Sin embargo, no soportan la contaminación.

El brezo de escobas

Se llama así porque, antiguamente, sus largas ramas afiladas se utilizaban para hacer escobas. Si quieres ver sus flores amarillo verdosas, paséate por los carrascales, entre el mes de mayo y el de julio.

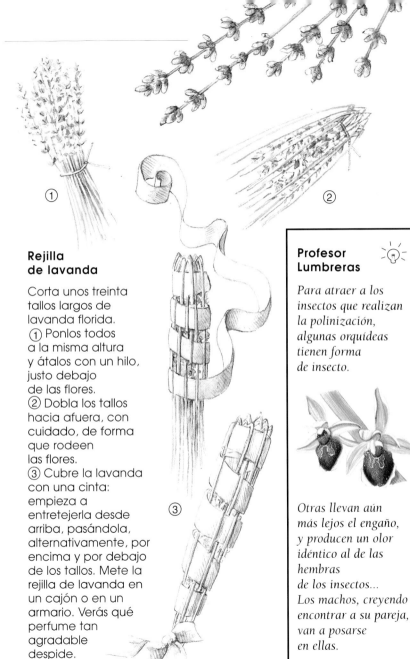

Rejilla de lavanda

Corta unos treinta tallos largos de lavanda florida.
① Ponlos todos a la misma altura y átalos con un hilo, justo debajo de las flores.
② Dobla los tallos hacia afuera, con cuidado, de forma que rodeen las flores.
③ Cubre la lavanda con una cinta: empieza a entretejerla desde arriba, pasándola, alternativamente, por encima y por debajo de los tallos. Mete la rejilla de lavanda en un cajón o en un armario. Verás qué perfume tan agradable despide.

Profesor Lumbreras

Para atraer a los insectos que realizan la polinización, algunas orquídeas tienen forma de insecto.

Otras llevan aún más lejos el engaño, y producen un olor idéntico al de las hembras de los insectos... Los machos, creyendo encontrar a su pareja, van a posarse en ellas.

Las arañas

La construcción de las telarañas es un trabajo largo y minucioso. Estas redes de seda, de formas variadas, no se tejen al azar. Además revelan las técnicas de caza de unas peculiares hilanderas con ocho patas.

Del arte de tejer...

Algunas arañas tejen auténticos tapices de seda. También fabrican unos capullos mullidos y delicados para proteger a sus crías.

... al arte de la caza

Existen especies que tejen trampas muy ingeniosas. Unas prefieren hacer el punto flojo: cuando un insecto toca la tela, la araña tira de los hilos, de forma que lo hace caer y lo lleva hasta ella. Otras eligen un hilo pegajoso: cuanto más lucha la víctima por soltarse, más pegada se queda.

Observa la comida de una araña

Puedes esperar con paciencia a que un insecto se quede atrapado en la telaraña, o bien llevar tú mismo el menú: una mosca muerta valdrá.

Aléjate un poco, no hagas ruido y observa cómo se deleita la araña.

Identifica las telas...

Busca distintos tipos de telarañas. Vas a descubrir que a veces tienen formas asombrosas:

① telaraña horizontal, con forma de mantel, de hamaca o de cúpula;

② telaraña geométrica, con forma de círculo, de triángulo o de *h*;

③ tubo de seda que se introduce en la tierra;

④ telaraña con forma de paraguas al revés.

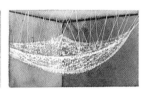

Araña «encordada»

Muchas arañas dejan tras de sí un hilo de seguridad, que tiran de un sitio a otro. Lo utilizan para pasar de un arbusto a otro, para cruzar una corriente de agua, para escapar de un depredador o incluso para agarrarse cuando.... fallan en un salto.

Colecciónalas

Vaporiza una telaraña bien seca con laca del pelo. Ponla inmediatamente sobre una placa de cristal, después de haber cortado los hilos de sujeción. Pega un papel negro o de algún color oscuro detrás del cristal, para que la telaraña resalte.

A los lagartos y a las serpientes les gusta ponerse en las piedras y en las rocas, para calentarse y descansar. Estos reptiles de sangre fría, cuya temperatura corporal varía dependiendo de la que haya en su entorno, necesitan tomar el sol con regularidad, para mantenerse a una temperatura constante.

Lagartos quebradizos

La mayoría de los lagartos están dotados de un sistema de defensa muy curioso: si alguien los atrapa por la cola, ésta se les parte. De esta forma pueden escapar del peligro. Tranquilízate, al cabo de unas semanas les vuelve a crecer.

Cambiar de piel

A medida que van creciendo, las serpientes cambian de piel. ¿Cómo? Se quitan la «piel vieja» frotándose la cabeza contra una piedra o en una rama, para que se rompa alrededor de la boca. Entonces el reptil sólo tiene que avanzar para quitarse toda la piel. Se la quita como si fuera un guante muy justo, y la deja del revés tirada en el suelo.

Consejo de Robinsón

Las serpientes son sordas, pero perciben las vibraciones. Para conseguir que salgan huyendo, da golpes en el suelo con un palo o anda dando un golpe con el pie a cada paso. Para mayor precaución, lleva botas altas y calcetines gruesos. En caso de mordedura, tendrás que llamar a un servicio de urgencias.

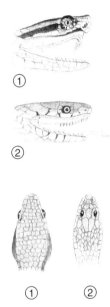

Cómo distinguir una víbora

En Europa, a excepción de las víboras, hay pocas serpientes peligrosas para el hombre.
① La víbora tiene la cabeza triangular y cubierta de escamitas; sus pupilas son ovaladas verticalmente; encoge la cola bruscamente.
② La culebra tiene la cabeza ovalada y cubierta con tres placas grandes; sus pupilas son redondas; su cola es afilada.

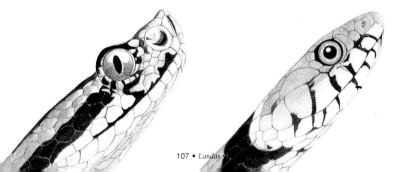

Agua estancada y agua que fluye

Ya sea en el agua
que fluye por ríos,
arroyos, cascadas
o torrentes,
o en el agua
estancada de lagos,
estanques o charcas...
el mundo acuático
encierra riquezas
por descubrir.

● ● ●

El agua, fuente de vida

Ya esté estancada o fluyendo, el agua es indispensable para la vida en nuestro planeta. Las aguas dulces abrigan una flora y una fauna salvajes de las más ricas. Podrás comprobarlo fácilmente, siempre que seas paciente y sigiloso.

Agua estancada...

Lagos, estanques, charcas... Naturales o artificiales, estos espacios acuáticos atraen a multitud de animales. Cada año, millones de aves van hasta ellos para reproducirse, alimentarse o descansar.

... y agua que fluye

Desde el torrente más fogoso hasta el río más tranquilo, el agua que corre, también llamada agua viva, nace en un manantial y termina su recorrido en el mar.

El truco de Robinsón

Si tiras una hoja de papel al agua, verás que siempre toma la misma dirección. Es normal: el agua siempre corre desde su origen hacia el río o hacia el mar, es decir, río abajo.

¿Agua no potable?

Nunca bebas agua estancada de lagos o charcas: está llena de «bichitos» peligrosos para el intestino.

Tampoco sacies tu sed con el agua de arroyos o de ríos, aunque te parezca limpísima. Puede estar contaminada con excrementos de animales, con pesticidas o con estiércol.

Profesor Lumbreras

Corrientes de agua y zonas pantanosas son medios naturales muy sensibles a la contaminación. Desde el comienzo de la era industrial, el hombre ha hecho estragos: destrucción de riberas, presas, desecación de marismas, ampliación de regadíos, vertido de productos químicos... Estas prácticas han hecho desaparecer especies animales y vegetales.

Un estanque en tu jardín

Cava un agujero con las paredes inclinadas. Pon una lona en el fondo, llénalo de agua y sujeta los bordes con piedras grandes. Luego, introduce plantas acuáticas: lirios, carrizos, nenúfares, tréboles y lentejillas de agua. Pronto vendrán a vivir los insectos...

No te vayas a creer que la vida en las aguas estancadas es tranquila. Todo lo contrario: bajo esta calma aparente se esconde una gran actividad.

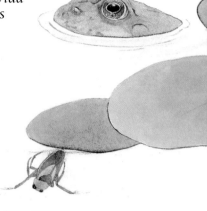

notonecta

dítico

Los «tigres» de las charcas

Los díticos y las notonectas son pequeños coleópteros muy feroces. El primero despedaza a sus presas (alevines, renacuajos...) utilizando sus potentes mandíbulas; el segundo las apuñala con su boca puntiaguda y después les inyecta un veneno que les deshace la carne.

El truco de Robinsón

¿Cómo diferenciar un dítico de una notonecta? Es fácil: el primero parece un abejorro; el segundo tiene el cuerpo alargado, con forma de barca, y normalmente nada sobre la espalda, utilizando sus patas delanteras como remos.

El zapatero

Es un insecto que patina sobre el agua.

La tejedora

Es una araña muy curiosa que vive en una burbuja de aire.

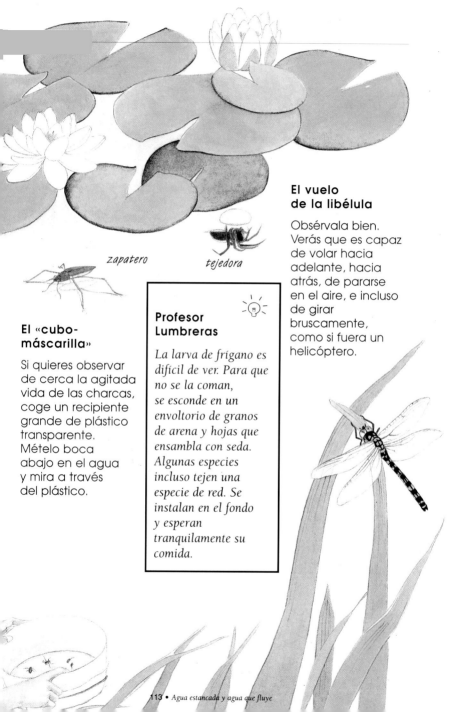

zapatero

tejedora

El vuelo de la libélula

Obsérvala bien. Verás que es capaz de volar hacia adelante, hacia atrás, de pararse en el aire, e incluso de girar bruscamente, como si fuera un helicóptero.

El «cubo-máscarilla»

Si quieres observar de cerca la agitada vida de las charcas, coge un recipiente grande de plástico transparente. Métrelo boca abajo en el agua y mira a través del plástico.

Profesor Lumbreras

La larva de frígano es difícil de ver. Para que no se la coman, se esconde en un envoltorio de granos de arena y hojas que ensambla con seda. Algunas especies incluso tejen una especie de red. Se instalan en el fondo y esperan tranquilamente su comida.

Los batracios

La gran familia de los batracios incluye a las ranas, los sapos, las salamandras y los tritones. Se les denomina anfibios, lo que significa que «tienen doble vida». En efecto, estos animales pueden vivir tanto en la tierra como en el agua.

Lengua «cazamoscas»

La rana verde común, al igual que la rana bermeja o la rana verde comestible, caza moscas, libélulas y otros insectos que pasen cerca de ella, porque su lengua viscosa los atrae. En primavera podrás oír a los machos croar a coro.

Tritones y salamandras

No resulta fácil ver al tritón alpino. A diferencia de los demás tritones, se pasa la mayor parte de su vida en el agua. Sin embargo, la salamandra común prefiere esconderse en los lugares húmedos, debajo del musgo o de las hojas muertas. Sólo sale de su escondite por la noche o después de una lluvia fuerte.

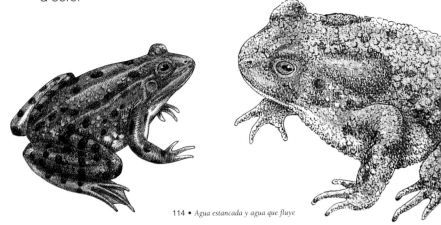

Cría renacuajos

Necesitarás: un acuario, grava, plantas acuáticas, madera seca, unas piedras, agua de charca y renacuajos.

① Cubre el fondo del acuario con grava. Forma un «paisaje» con la madera seca y las piedras.

② Llénalo con agua de charca hasta la mitad. Coloca algunas plantas, con su recipiente o bien sujétalas en la grava.

③ Pon el acuario en un sitio claro (pero no a pleno sol) y mete los renacuajos.

Renueva el agua de charca con frecuencia, porque en ella encuentran tus huéspedes los dáfnidos y otros animalillos con los que se alimentan. Cuando los renacuajos tengan cuatro patas, es el momento de llevarlos a la charca de donde los sacaste.

Construye una sacadera

Necesitas una rama ahorquillada, una tela fina, alambre y cuerda. Ata el alambre a la horquilla con la cuerda. Coloca la tela alrededor del alambre, cosiéndola hasta formar un saco bastante profundo.

◄ El sapo común

Tiene unas glándulas venenosas detrás de los ojos. No lo toques.

En los ríos y en los arroyos viven muchos peces y aves sorprendentes. Al amanecer y al anochecer es cuando mejor podrás observarlos. Una vez apostado para mirar, no hagas ruido y no te muevas.

El pájaro buceador

Para capturar sus presas favoritas, larvas e insectos acuáticos, el mirlo acuático es capaz de andar por el fondo del agua. Y además puede permanecer sumergido unos quince segundos. Lo identificarás por su canto: un sonoro «zit, zit, zit», metálico y duro.

Los guardianes de los ríos

Alisos, sauces, carpes... Las largas raíces ramificadas de estos árboles aseguran el suelo de las riberas de los ríos, impidiendo que la corriente del agua las arrastre.

Una pluma azul

El martín pescador está durante casi todo el año en la orilla de los ríos. Es inconfundible. Si ves una pluma azul brillante a ras del agua y oyes un sonido agudo, «tit, tit», seguro que es él.

La nutria nocturna

Cazada por su piel, la nutria ha sufrido también enormemente la contaminación de los ríos. Actualmente es una especie en extinción. Resulta muy difícil verla, porque sólo sale por la noche. Sin embargo, puedes apreciar su rastro: «corrientes» en la tierra de las orillas. Allá por donde este animal pasa, siempre deja sus huellas, restos de comida y sus excrementos. Abre bien los ojos.

Construye un molino de agua

Necesitas: 8 tableros de igual tamaño, 1 tapón de corcho grande (la tapa de un tarro de cristal) 1 palo, 2 ramitas en forma de horca y cola para pegar.
① Haz 8 cortes en el corcho y encaja en ellos los tableros, una vez hayas untado de cola uno de sus extremos.
② Haz un agujero en el centro del tapón de corcho y mete el palo de madera.
③ Coloca tu molino sobre las dos ramitas en forma de horca, que habrás clavado en el suelo. La corriente del arroyo hará que el molino dé vueltas.

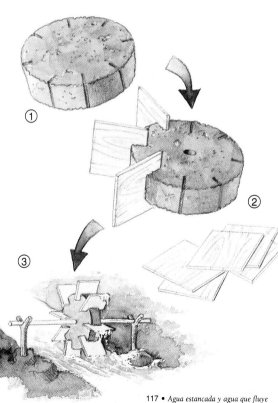

*Gobio, breca, perca, barbo, lucio,
tenca, anguila, trucha, brema...
Todos ellos son peces de agua dulce.
Los hay de todos los tamaños
y colores. Para capturarlos,
las técnicas de pesca son diferentes
según las especies y ciertas reglas
que hay que respetar.*

Pesca reglamentaria

Para pescar
necesitas un
permiso especial
que se obtiene
en la Federación
de pesca.
Respeta las fechas
de apertura y cierre
de veda,
las prohibiciones
de algunos cebos,
las reservas
prohibidas
y el tamaño mínimo
legal de captura.

Consejo de Robinsón

Nunca dejes
abandonado
un anzuelo con
cebo: podría atraer
a algún pájaro
que quedaría
herido de muerte
al tragárselo.

Indicador de contaminación

¿Sabías que la
trucha sólo vive
en aguas limpias
y bien oxigenadas?
Su presencia nos
indica que esa
agua es de
buena calidad.

El sedal también
es muy peligroso
para los pájaros,
porque pueden
quedar atrapados
por las patas.

El tiburón de agua dulce

La fama de voraz que tiene el lucio no es infundada. Se dedica a cazar sistemáticamente a los demás peces. Este «tiburón» de agua dulce tiene en la boca unos 700 dientes puntiagudos y se deleita también con ranas, patitos y ratas de agua.

Dos cebos fáciles de preparar

① Machaca dos patatas grandes cocidas. Añade harina a este puré y un poco de salvado mojado en agua. Mezcla todo bien. Ya tienes un cebo ideal para atrapar brecas, gobios y carpas.

② «Fabrícate» tus propias larvas. Pon un trocito de carne al sol en el interior de una caja; pronto vendrá una mosca a poner sus huevos. Dos días después, los huevos se habrán convertido en larvas. Mételas en una caja hermética y agujerea la tapa, después tápalos con serrín. Ya tienes con qué atraer a los gobios y a las tencas. No guardes las larvas más de dos días... porque acabarán convirtiéndose en moscas.

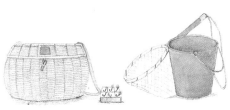

*A*lgunas aves acuáticas son sedentarias y puedes verlas durante todo el año. Pero otras son migratorias, y sólo podrás verlas en la época de nidificación.

cisne común

porrón común

Patos de superficie...

También se les llama ánades. Entre los patos de superficie se encuentran: el ánade real, el pato cuchara, el ánade rabudo, el ánade friso, el ánade silbón y las cercetas.

ánade real

pato colorado

... y patos buceadores

A diferencia de los patos de superficie, los buceadores se sumergen para buscar comida. Son: el porrón común, el porrón moñudo, el pato colorado, el porrón osculado, el porrón pardo...

Distintos cisnes

Quizá ya sepas identificar a un cisne, pero, ¿sabes de qué tipo de cisne se trata? En la Península ibérica casi siempre verás al cisne común, sólo accidentalmente podrás encontrar un cisne chico. Para diferenciarlos mírales el color del pico.

cisne chico

Construye un puesto de observación

Necesitas: una lona de camuflaje y cuatro ramas largas.
① Busca dos árboles próximos. Sujeta una de las ramas entre los dos árboles, a una altura de 1,60 m aproximadamente. Apoya en ella las otras tres ramas, inclinándolas. Cúbrelas con la lona de camuflaje, que debe caer por los dos lados.
② Haz unos orificios para poder sacar los gemelos o el objetivo de la cámara de fotos.
③ Y ármate de paciencia.
En lugar de lona, también puedes utilizar ramas y hojas. Pero cuidado, no dañes la naturaleza cortándolas de los árboles y arbustos. Busca ramas caídas por el suelo.

Observa las migraciones

En primavera y en otoño, millones de aves migran y van haciendo paradas en los lagos y lagunas. Si quieres ver estas tumultuosas reuniones de aves, infórmate en las organizaciones ecologistas o en las sociedades protectoras de animales de tu comunidad sobre las fechas de migración y de paso.

ÍNDICE

ÍNDICE

Ilustraciones por página y por ilustrador:

8-9: J.-C. Senée, 10 a 15: R, Mac, 16-17: J.-C. Senée, 18 a 23: P. Donaera, 24: F. Desbordes, J. Chevallier, S. Nicolle, 25: R. Mac, codorniz de F. Desbordes, 26-27: R. Mac, 28-29: R. Mac, 30-31: J. -C. Senée, 32-33: R. Mac 34-35: P. donaera, 36: F. Desbordes, P. Vanardois, J. Chevallier, 37: R. Mac, 38: J.-C. Crosson, mariposa de É. Doxat, 39: 40-41: R. Mac, 42-43: N. Locoste, 44-45 P. Donaera, 46: M. Sinier y F. Desbordes, 47 P. Donaera, , 48: J. Montano Meunier, 49: R. Mac, 50-51: J.-P. Lamerand, 51 hd J.-M. Pariselle, 52-53: R. Mac, 54-55: P. Donaera, 56-57: J.-C. Senée, 58-59, P. Donaera, 60-61: P. Donaera y F. Desbordes, 62-63: P. Donaera, F. Desbordes y J.-P. Lamerand, 64: J. Montano Meunier, 65: P. Donaera, 66-67: P. Donaera y 66-67 J. Montano Meunier, 68-69: J. Montano Meunier, F. Desbordes, J. Chevallier, S. Bailon, P. Donaera, 70-71: J.-C. Senée, 72 a 79: R. Mac, 80: F. Desbordes, J.-C. Crossosn, J. Montano Meunier, S. Bailon, 81: R. Mac, 82-83: J. Montano Meunier, S. Bailon, W. Fraschini, R. Mac, 84-85: J.-C. Senée, 86 a 95: P. Donaera, 95 recuadro: B. Rozé, 96-97: R. Mac 98-99: N. Locoste, 100-101: R. Mac, 102-103: R. Mac, 103 recuadro: N. Locoste, 104-105: R. Mac, 106-107: P. Donaera, 108-109: N. Loxoste, 110 a 113 P. Donaera: 114: J. Montano Meunier, J. Chevallier, 115: R. Mac, 116, 117: R. Mac, 118-119: P. Donaera, 120: F. Desbordes, 121: P. Donaera